聖賢之道

湯一介

戊子年夏

國學基本教材

左传选读

李南晖 ◎ 编注

浙江古籍出版社

图书在版编目（CIP）数据

左传选读 / 李南晖编注 . — 杭州：浙江古籍出版社，2013.9

国学基本教材

ISBN 978-7-5540-0136-3

Ⅰ . ①左… Ⅱ . ①李… Ⅲ . ①中国历史—春秋时代—编年体 Ⅳ . ① K225.04

中国版本图书馆 CIP 数据核字 (2013) 第 198569 号

左传选读

李南晖　编注

出版发行　浙江古籍出版社
（杭州体育场路 347 号　电话：0571-85176986）
网　　址　www.zjguji.com
责任编辑　陈临士　伍姬颖
特约编辑　秦　南　姚之均
责任校对　余　宏
美术编辑　刘　欣
责任印务　贾　敏
照　　排　杭州立飞图文制作有限公司
印　　刷　富阳美术印刷有限公司
开　　本　880 × 1230　1/32
印　　张　7.25
字　　数　170 千字
版　　次　2013 年 9 月第 1 版
印　　次　2013 年 9 月第 1 次印刷
书　　号　ISBN 978-7-5540-0136-3
定　　价　14.00 元

“国学基本教材”编辑委员会

总　序

秋霞圃书院创办有年，在民间推动国学普及工作，志在以独立之精神、自由之思想为宗旨，促进古今中外文化思想与学术的交流，为中华民族文化的复兴而尽心尽力。其志可嘉，其行可感！

近年，秋霞圃书院耐儒兄主持编撰“国学基本教材”。本套国学教材集复旦大学、武汉大学、南开大学、中山大学、华东师范大学、上海师范大学等名牌院校的二十多名青年学人，采各种版本的国学读本之长，广泛吸取中小学一线语文教师的教学经验，精心编撰，是中小学生比较理想的国学读本，也是便于教师们使用的、较为系统的国学教材。

读本的篇目有：《弟子规》、《三字经》、《千字文》、《千家诗选读》、《幼学琼林》、《诗词格律》、《唐诗选读》、《宋词选读》、《论语》（上、下）、《史记选读》（上、下）、《大学　中庸》、《诗经选读》、《孟子》（上、下）、《左传选读》、《颜氏家训》、《诸子文选》（上、下）、《汉魏六朝文选》、《唐宋文选》、《礼记选读》、《楚辞选读》。每册有指导性概述，有经典原文，有对原文的注释与新译（赏析），并配上文史链接（延伸阅读）、思考讨论等，图文并茂，准确生动，具有可读性与系统性。

梁启超先生说过，《论语》、《孟子》等经典“是两千年国人思想的总源泉，支配着中国人的内外生活，其中有益身心的圣哲格言，一部分久已在我们全社会形成共同意识，我们既做这社会的一分子，总要彻底了解它，才不致和共同意识生隔阂”。这就是说，“四书”等经典表达了以“仁爱”为中心的“仁义礼智信”等中华民族的核心价值观念，这是中国古代老百姓的日用常行之道，人们就是按此信念而生活的。

中国文化的大传统与小传统是打通了的。国学具有平民化与草根性的特点。中国民间流传着的谚语是：“勿以善小而不为，勿以恶小而为之”；“老吾老以及人之老，幼吾幼以及人之幼”；“积善之家必有余庆，积不善之家必有余殃”。这些来自中国经典的精神，透过《弟子规》、《三字经》、《百家姓》、《千字文》、《千家诗》等蒙学读物及家训、族规、乡约、谱牒、善书，通过大众口耳相传的韵语故事、俚曲戏文、常言俗话，成为“百姓日用而不知”的言行规范。

南宋以后在我国与东亚的民间社会流传甚广、深入人心的朱熹《家训》说：“事师长贵乎礼也，交朋友贵乎信也。见老者，敬之；见幼者，爱之。有德者，年虽下于我，我必尊之；不肖者，年虽高于我，我必远之。”“人有小过，含容而忍之；人有大过，以理而谕之。勿以善小而不为，勿以恶小而为之。”又说，“勿损人而利己，勿妒贤而嫉能。勿称忿而报横逆，勿非礼而害物命。见不义之财勿取，遇合理之事则从……子孙不可不教，童仆不可不恤。斯文不可不敬，患难不可不扶。”朱子说此乃日用常行之道，人不可一日无也。应当说，这些内容来源于诗书礼乐之教、孔孟之道，又十分贴近大众。它内蕴着个人与社会的道德，长期以来成为老百姓的生活哲学。

王应麟的《三字经》开宗明义：“人之初，性本善。性相近，习相远。苟不教，性乃迁。教之道，贵以专。”这就把孔子、孟子、荀子关于人性的看法以简化的方式表达了出来。儒家强调性善，又强调人性的养育与训练。

清代李毓秀《弟子规》的总序说："弟子规，圣人训。首孝弟，次谨信。泛爱众，而亲仁，有余力，则学文。"以下分成"入则孝"、"出则悌"、"谨而信"、"泛爱众而亲仁"等几部分。这些纲目都来自《论语》。《弟子规》中对孩童举止方面的一些要求，如站立时昂首挺胸、双腿站直，见到长辈主动行礼问好，开门关门轻手轻脚，不用力甩门等，这些规范都是文明人起码应有的，是尊重他人而又自尊的体现。又如："晨必盥，兼漱口，便溺回，辄净手。冠必正，纽必结，袜与履，俱紧切。""斗闹场，绝勿近，邪僻事，绝勿问。将入门，问孰存，将上堂，声必扬。""用人物，须明求，倘不问，即为偷。借人物，及时还，后有急，借不难。"这都是有助于文明社会的建构的，是文明人的生活习惯，也是今天社会公德的基础。

朱柏庐在《朱子治家格言》起首的一段说："黎明即起，洒扫庭除，要内外整洁；既昏便息，关锁门户，必亲自检点。一粥一饭，当思来处不易；半丝半缕，恒念物力维艰。"这些都是平实不过的道理，体现到一个人身上就是他的家教。旧时骂人，说某某没有家教，那是很重的话，让其全家蒙羞。我们不是要让青少年一定要做多少家务，而是要他们从小学就动手打理好自己与家庭的事情，不要过分依赖父母，依赖他人，能够自己挺立起来，培养责任意识。同时，知道一粥一饭、半丝半缕都是辛劳所得，我们能够懂得去尊重家长与别人的劳动。如果我们真的有敬畏之心，就知道珍惜，不应该浪费。

南开中学的前身天津私立中学堂成立于1904年10月，老校长严范孙亲笔写下"容止格言"："面必净，发必理，衣必整，纽必结。头容正，肩容平，胸容宽，背容直。气象：勿傲，勿暴，勿怠。颜色：宜和，宜静，宜庄。"这四十字箴言来自蒙学，又是该校对学生容貌、行止的基本要求。校内设整容镜，师生进校时都要照镜正容色。

后来张伯苓先生治校，坚持了这些做法。

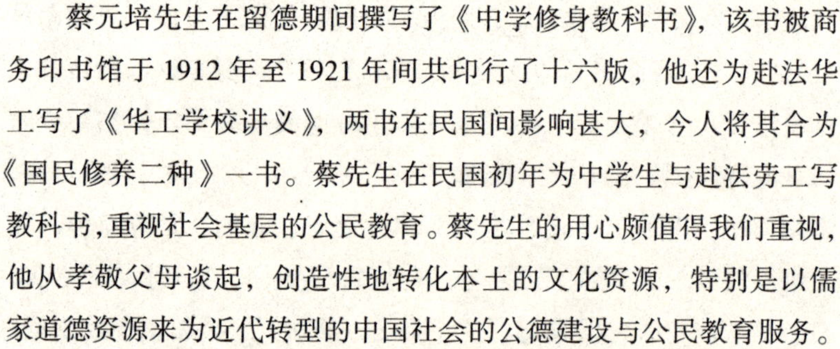

蔡元培先生在留德期间撰写了《中学修身教科书》，该书被商务印书馆于1912年至1921年间共印行了十六版，他还为赴法华工写了《华工学校讲义》，两书在民国间影响甚大，今人将其合为《国民修养二种》一书。蔡先生在民国初年为中学生与赴法劳工写教科书,重视社会基层的公民教育。蔡先生的用心颇值得我们重视，他从孝敬父母谈起，创造性地转化本土的文化资源，特别是以儒家道德资源来为近代转型的中国社会的公德建设与公民教育服务。

现今南京夫子庙小学的校训是“亲仁、尚礼、志学、善艺”。我认为这是非常好的。对孩童、少年的教育，首先是培养健康的心性才情，从日常生活习惯，从待人接物开始，学会自重与尊重别人。

我们今天强调成人教育，因为仅有成才教育是不够的，成才教育忽略了我们作为完整的人、健康的人所必需的一些素养，它在人格养成方面几乎是空白。这不是大学教育才有的问题，而是幼儿园、中小学教育就该关注的。养育青少年的性情，需要家庭、学校、社会的配合。

国学当中有很多修身成德、培养君子人格的内容。中国古典的教育，其实就是博雅教育。传统的教育并不是道德说教，也不是填鸭式满堂灌的教育，而是春风化雨似的，让学生在点滴中有所收获并自己体验，如诗教、礼教、乐教等。

我觉得应该让孩子们处在良好的文化氛围中。家长、老师们要以身作则、言传身教，这对孩子们影响很大。家长、老师有义务端正自己的言行，尤其在孩子们面前。要培养孩子分辨是非的能力，多在性情教育上下工夫，关注孩子的心理健康，多与孩子交流，洞察他们的情感，并做正确的引导。现在一些家长做不到以身作则，他们撒谎骗人，打骂斗狠，不尊重老人，这些都会给孩子的成长烙下负面的印记。

我们也希望同学们能趁着年轻记性好，多读些经典，最好能背诵一些，其中的意思以后可以慢慢领悟。南宋思想家陈亮说过："童子以记诵为能，少壮以学识为本，老成以德业为重……故君子之道不以其所已能者为足，而尝以其未能者为歉，一日课一日之功，月异而岁不同，孜孜矻矻，死而后已。"

本丛书所收经典与蒙学读物中有很多圣哲格言，都足以让我们受用终身。我们一直希望能有多一些的国学经典进入中小学课堂，至少让"四书"进入教材。我们希望能多一些国文课，让中小学生能接受到系统的传统语言与文化教育。中华民族有很多优根性，更需大大弘扬。

是为序。

郭齐勇

癸巳春于珞珈山

目　录

概　述

《左传》是怎样一部书？

简单地说，《左传》就是一部依据先秦史书编纂，为了传授《春秋》而编写的历史著作。

《左传》，是《春秋左氏传》的简称。这个“传”，不是今天的传记、史传的意思，而是注释经典、阐发经义的一种体裁。它阐释的对象是《春秋》。跟它差不多同时的，还有两家注释，分别是《春秋公羊传》、《春秋穀梁传》，合称“春秋三传”。《公羊传》、《穀梁传》偏重发挥孔子的学说和道理，《左传》则重视讲述历史故事，用事实来补充、解释《春秋》。它的材料来源，大部分和孔子修订的《春秋》一样，是《鲁春秋》，另外还采用了其他先秦史书的一些记载。

《左传》的作者，一般认为是左丘明——书名本身就是从他的姓氏得来的。尽管唐朝中叶以来这个说法不断遭到质疑，但是也没有被完全推翻。在各种意见中，明末清初的学者顾炎武的推测比较稳妥。他认为，《左传》不是由一个人完成的，也不是一次性完成的。参照先秦时期著作的特点，它们大部分是经过一段时间的口头流传或者单篇散传之后，再陆续被汇集、整理，记录成文字，形成书籍，而书名就挂上最早的传授者或者学派宗师的姓氏，像《墨子》、《老子》、《庄子》、《管子》都是如此。那么《左传》极有可能是左丘明最先传授，然后在传播过程中逐渐写定，成为现在的样子。编定的时间，最晚是在战国中期——距离今天也至少两千三百年了。

由于《左传》是根据《鲁春秋》编成的，所以它的记事，完全以鲁国国君为顺序编排，从鲁隐公元年（前 722）开始，到鲁哀公二十七年（前 468）结束，时间跨度 255 年。末尾还有一小段跳跃性的记载，写到了鲁悼公四年（前 464）晋国贵族知伯的骄横，并预言了他十年后的灭亡。

《左传》记载了什么内容？

《左传》记录的历史时段，大致跟整个春秋时期相吻合，它所记载的内容，正是我们了解这个风起云涌时代的第一手史料。

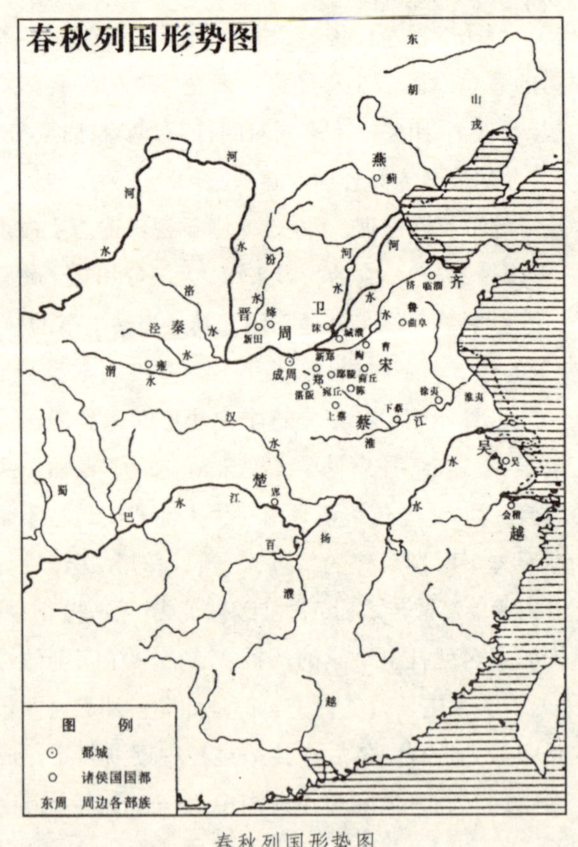

春秋列国形势图

春秋时期，周朝以血亲关系为核心的宗法政治制度逐步衰落，原本为了拱卫中央王朝而分封的诸侯国，一步一步走向独立；延续了四百多年的分封制度土崩瓦解，圣人周公呕心沥血制定的礼乐制度成了明日黄花；周天子从“天下共主”的地位跌落，取而代之的是“春秋五霸”的呼风唤雨。持保守态度的古人悲观地称之为“礼崩乐坏”，而现代的史学家则看作新的权力阶层崛兴、政治势力割据争夺、制度转型并最终走向秦汉中央集权政治的重大转折的发端。

《左传》以政治史为主线，按照时间顺序，以编年体的方式为我们奉献了一部近乎全景式的春秋历史大片。

这部大片中最耀眼的明星，第一是晋国，第二是楚国，次要角色有齐国、鲁国、秦国、宋国、郑国、吴国、越国，等等，还有很多配角和跑龙套的国家。片子的主要情节就是战争。有人做过统计，《左传》一共记载了四百多次军事行动，其中晋楚城濮之战、秦晋殽（yáo）之战、晋楚邲（bì）之战、齐晋鞌（ān）之战、晋楚鄢（yān）陵之战被称为“五大战役”。在一次次青铜兵器的互相砍杀，一阵阵滚石擂木的互相投掷中，西周以来星罗棋布的所谓八百诸侯国，到《左传》记事截止的时候，只剩下了三五十个。围绕着这些刀光剑影，《左传》为我们呈现了战争的权谋和智术，列国之间的尔虞我诈，同盟和对手的频繁换位，诸侯力量的此消彼长。

《左传》的另一个重头戏，是外交活动。《左传》的“编剧”十分清楚，“战争是政治的延伸”，所以它的镜头经常切换到战场之外，捕捉那一场场“没有硝烟的战争”。为了和谈、联盟、求救、谢罪等目的，各国使节出生入死，用巧舌拯救人头，用言辞保卫城池。这个时候，说话得不得体，不仅关系到自己的荣辱和性命，

还关系到国家社稷的安危——所谓“一言兴邦，一言丧邦”。还有一部分外交活动，跟战争关系不大，诸如会见、访问、朝贺之类，这些场合的谈吐，可以显示自身的修养、性格、态度，等等。要是说错了话，不仅是失礼的行为，还可能招致灾难。因此，《左传》记载了大量的使节来往，记录了好些出色的外交辞令，从中我们可以一睹当年外交家们的风采。

《左传》不仅有壮阔的“外景镜头”，还有详尽的“棚景镜头”。很多诸侯国内部的争权夺利、钩心斗角，都被编织进了情节里头。像第一主角晋国，从晋文公开始一直是中原盟主，不是四处去“军事干涉”，就是去“维和”。可是它的内政一直不稳定，最终在韩、赵、魏三家大夫的手上被瓜分了。这个强国的君主怎样逐渐被架空，权力怎样转移到大夫手里，怎样一步步走上灭亡之路，整个过程，《左传》都作了相当周详的记述。类似的，齐国被外来的田姓篡夺的始末，鲁国国政被“三桓”把持的过程，都使我们对当时的各国政治得以深入了解。

假如仅仅把《左传》当成政治史来看，显然不够公平全面。它还记载了大量的生活习俗、经济民生、祭祀祈祷、救灾等社会生活方面的内容；它保存了许多古老的历史传说和当时的意识形态，更不乏天文星象、山川地理方面的记载。世界上最早的哈雷彗星观测记录就在《左传》的鲁文公十四年（前613），不过当时只是把它的出现作为天人感应的征兆来记录罢了。周王朝的一个占星官员因此预测宋、齐、晋的国君将在七年内死于变乱。鲁庄公七年（前687）还有最早的天琴座流星雨记录。

《左传》的篇幅有十八万字，是《春秋》的十倍有余。因为篇幅巨大，成书不久，就有人给它做了摘抄，可见它受重视的程度。汉代以后，《左传》升格为儒家经典，地位崇高；而在学者眼里，它的最大价值始终在史学和文学方面。历来围绕这两种价值取向产生了无数《左传》选本。我们这个新的选本，基于读者对象的设定以及国学经典普及的定位，自然需要另作考虑。

今天阅读《左传》，不用像古人那样把它奉为经书那么神圣，也不用像专家那样把它当成史传来钻研。左丘明是个讲故事的高手，《左传》自然可以看作一部有趣的历史故事集。

本着这样的想法，我们编选了该书。故事性强是我们选择的第一标准，且入选的篇目大部分跟战争有关。一些著名片断，比如《吕相绝秦》、《季札观乐》，虽然因文章漂亮，或者文化史意义重要而脍炙人口，但我们只好割爱了。为了照顾现代读者的趣味，在不影响故事完整性的前提下，我们对某些章节作了整段的删节，凡有删节段落的地方，都用省略号表示。

选文的底本采用最通行的杨伯峻《春秋左传注》，注释则广泛吸收前贤的成果，务求简明扼要，不作无谓的考证，以疏通文义为要。

每一个选段的标题，有的沿用一贯的题目，有的改用白话化的题目。题下注明《左传》记载的时间，书后附录《鲁国十二公简表》，供大家查找对应的公元年份。

编者给每篇作品写了一篇“文史链接”，介绍事件的来龙去脉、相关背景，中间也作一些文学评点，帮助大家理解。其后的“思考讨论”，是希望进一步激发各位对《左传》或者春秋历史的兴趣。倘若读者诸君能够由此而升堂入室，那将是编者无上的荣幸。

第一章 隐 公

郑伯克段于鄢

（隐公元年）

初[1]，郑武公娶于申[2]，曰武姜[3]，生庄公及共叔段。庄公寤生[4]，惊姜氏，故名曰“寤生”，遂恶之[5]。爱共叔段，欲立之[6]。亟请于武公[7]，公弗许[8]。

注释

[1] 初:起初，当初。 [2] 郑武公:郑国国君，名掘突。申:国名,故址在今河南南阳。 [3] 曰:叫做。武姜:申国的公主（当时叫公女），姓姜，嫁给了郑武公，所以叫武姜。 [4] 寤（wù）生：难产，指婴儿出生的时候脚先出来。 [5] 恶（wù）：讨厌。[6]“爱共”句：省略了主语“武姜”，意思是说武姜喜欢共叔段，想把他立为太子。 [7] 亟(qì):屡次。请:请求。 [8] 弗许:不同意（武姜）。

及庄公即位,为之请制[1]。公曰:“制,岩邑也[2]，

虢叔死焉[3]。佗邑唯命[4]。”请京[5]，使居之，谓之京城大叔。祭仲曰[6]：“都，城过百雉，国之害也[7]。先王之制：大都，不过参国之一；中，五之一；小，九之一[8]。今京不度，非制也[9]，君将不堪[10]。”公曰：“姜氏欲之，焉辟害[11]？”对曰：“姜氏何厌之有[12]？不如早为之所[13]，无使滋蔓[14]！蔓，难图也[15]。蔓草犹不可除[16]，况君之宠弟乎？”公曰：“多行不义，必自毙[17]，子姑待之[18]。”

注释

[1]制：地名，在今河南荥（xíng）阳，又叫虎牢关。 [2]岩邑：险要的城池。 [3]虢（guó）叔：东虢国君主。焉：那里，指制。制原来是东虢国的地方，后来被郑国吞并。 [4]“佗（tā）邑”句：意思是你要别的地方我就答应你。这是因为郑庄公不想把要塞地方让给共叔段。佗邑，其他城邑。唯命，听你的。 [5]京：地名，在今河南荥阳东南。因为共叔段住在京，所以大家又把他叫做“京城大叔”。 [6]祭（zhài）仲：郑国大夫。 [7]“都，城”句：一座城，要是它的城墙边长超过三百丈，就会是国家的祸害。按现在的话讲，地方城市坐大，就会威胁中央。都，都市，指国都以外的城邑。城，城墙。百雉（zhì），古代城墙长三丈、高一丈叫一雉，百雉就是长三百丈，指城墙的边长。 [8]“先王”句：是讲当时城市规模的制度，大城市不能超过国都的三分之一，中等城市不能超过五分之一，小城市不能超过九分之一。这都是

为了维护等级和便于控制而规定的。　[9]不度、非制：都是指共叔段的做法不符合制度。　[10]不堪：受不了，难受。[11]焉：哪里，何处。辟害：躲避灾祸。辟，同“避”。[12]何厌之有：即“有何厌”，哪里会满足。　[13]早为之所：早点给他（共叔段）安排个地方。　[14]滋蔓：滋生蔓延，隐喻共叔段悄悄培植势力。　[15]图：对付。　[16]犹：尚且。　[17]自毙：自取灭亡。毙，倒下，比喻失败。　[18]姑：姑且。

既而大叔命西鄙、北鄙贰于己[1]。公子吕曰[2]：“国不堪贰，君将若之何[3]？欲与大叔，臣请事之；若弗与，则请除之[4]。无生民心[5]。”公曰：“无庸[6]，将自及[7]。”大叔又收贰以为己邑[8]，至于廪延[9]。子封曰[10]：“可矣，厚将得众[11]。”公曰：“不义不暱[12]，厚将崩[13]。”

注释

[1]既而：不久。西鄙、北鄙：指郑国西部、北部的边境地区。贰于己：既属于郑庄公，又属于自己。等于抢夺郑庄公的地盘。[2]公子吕：郑国大夫，字子封。　[3]“国不”句：是说国家不能忍受同时有两个主人的情况，您想怎么办？　[4]“欲与”句：是说您要是想把国君的位子交给大叔，我就去辅佐他；您要是不给，就请除掉他。　[5]无生民心：意思是别让老百姓多心，产生叛逆的念头。　[6]无庸：不用担心。　[7]自及：意思是他自

己会栽跟头。　[8] 收贰以为己邑：把西部、北部边境地区收归自己单独管辖。　[9] 廪（lǐn）延：地名，在今河南延津北边。[10] 子封：公子吕的字。　[11] 厚将得众：势力大了就会得到民众的支持。　[12] 不暱（nì）：不能团结民众。　[13] 崩：垮掉。

大叔完聚[1]，缮甲兵[2]，具卒乘[3]，将袭郑。夫人将启之[4]。公闻其期[5]，曰："可矣！"命子封帅车二百乘以伐京[6]。京叛大叔段，段入于鄢[7]，公伐诸鄢[8]。五月辛丑[9]，大叔出奔共[10]。

注释

[1] 完：修好城墙。聚：备齐粮草。　[2] 缮：修补。甲兵：指武器。　[3] 具：召集，整编。卒乘（shèng）：士兵。[4] 夫人：指武姜。启：打开城门，指做内应。　[5] 期：共叔段来偷袭的日期。　[6] 乘：当时打仗以车战为主，一辆战车叫一乘，由四匹马牵引，车上三名车兵，车后跟随十名步兵。[7] 鄢：郑国地名，在今河南鄢陵北。　[8] 公伐诸鄢：郑庄公到鄢讨伐共叔段。诸，"之于"的合音。　[9] 五月辛丑：五月二十三日。　[10] 共：郑国地名，在今河南辉县。

书曰[1]："郑伯克段于鄢。"段不弟，故不言弟；如二君，故曰克；称郑伯，讥失教也：谓之郑志。不言出奔，难之也[2]。

注释

[1] 书：指《春秋》。“曰”后面那句话是《春秋》的。

[2]“段不弟”句：是《左传》对《春秋》为何这样遣词造句的解释，这就是所谓的“书法”、“义例”。它的大意是，共叔段的作为不是弟弟该做的，所以《春秋》不称他“弟弟段”；庄公跟共叔段在地位上仿佛是两个国君，所以用国君交战获胜的“克”字；把庄公称为“郑伯”，而不称为“兄”，是要讽刺他没有承担起教育弟弟的责任，灾难是他一手造成的。庄公蓄意养成共叔段的叛乱，《春秋》不记载共叔段的逃亡，是要责难庄公。

遂置姜氏于城颍[1]，而誓之曰：“不及黄泉，无相见也[2]。”既而悔之。颍考叔为颍谷封人[3]，闻之，有献于公[4]。公赐之食，食舍肉[5]。公问之，对曰[6]：“小人有母，皆尝小人之食矣[7]，未尝君之羹[8]，请以遗之[9]。”公曰：“尔有母遗，繄我独无[10]！”颍考叔曰：“敢问何谓也[11]？”公语之故[12]，且告之悔。对曰：“君何患焉？若阙地及泉[13]，隧而相见[14]，其谁曰不然[15]？”公从之。公入而赋[16]：“大隧之中，其乐也融融[17]！”姜出而赋：“大隧之外，其乐也泄泄[18]！”遂为母子如初[19]。

郑庄公掘地见母

注释

[1]置:安置。城颍:地名,在今河南临颍西北。 [2]“不及”句:意思是不到死那天,咱们永不见面。可见庄公对武姜的仇视程度。黄泉,地下的泉水,指坟墓。 [3]颍考叔:郑国大夫。颍谷:地名,在今河南登封西南。封人:镇守边境的地方官。 [4]献:进贡东西。 [5]食舍肉:吃饭的时候把肉放在一边。 [6]对:下级回答上级叫“对”。 [7]皆:统统,都。 [8]羹:带汁的肉食。 [9]遗(wèi):赠送。 [10]“尔有”句:是说你还可以送东西给母亲,咳!我却偏偏没有母亲。尔,你。繄(yī),

句首语气词，相当于今天的“咳”。 [11]敢:谦词，相当于“冒昧”。何谓：什么意思。 [12]之：指代颍考叔。故：原因。 [13]阙：同“掘”。 [14]隧：挖隧道。 [15]不然：不对。 [16]赋:吟诵。 [17]融融:和睦快乐的样子。 [18]泄(yì)泄:舒服畅快的样子。 [19]“遂为”句：是说庄公母子重归于好。

君子曰[1]：“颍考叔，纯孝也[2]，爱其母，施及庄公[3]。《诗》曰：‘孝子不匮，永锡尔类[4]。’其是之谓乎[5]！”

注释

[1]君子：《左传》发表议论，常称“君子曰”。这“君子”有时是作者自己，有时是其他德高望重的人士。 [2]纯孝：极端孝顺。 [3]施(yì)：推展，延伸。 [4]“《诗》曰”句：出自《诗经·大雅·既醉》。诗句的意思是，孝子遵行孝道不休止，永远赐福给大家。《诗》,《诗经》,我国最早的诗歌总集。锡,通“赐”。[5]是：指颍考叔。谓：说。

文史链接

郑庄公是春秋时期第一个具有霸主权威的诸侯，不过他的影响力没有后来的“五霸”大,所以只能委屈做个“小霸”。这位“小霸”的初试牛刀，锋芒所向就是自己的弟弟共叔段。

郑庄公因为出生的时候不是顺产，惊吓了母亲，所以不招母亲喜欢，埋下了兄弟相争的祸根。这一段文字非常细腻地展示了郑庄公的政治人格：虚伪、城府深密。历来儒家都从伦理道德的角度，批判他的阴暗心计，认为他故意纵容弟弟在灭亡的道路上一去不返。若单纯从文学的角度来说，作者抓住两兄弟个性的反差做文章：一个贪得无厌而灭亡，一个深谋远虑而得胜；一个利令智昏落入圈套，一个洞若观火欲擒故纵，很有“性格决定命运”的意味。

思考讨论

1. 郑庄公为什么最后乐意跟母亲武姜冰释前嫌、言归于好呢？
2. 请谈谈你对郑庄公的看法。

第二章　庄　公

曹刿论战

（庄公十年）

十年春，齐师伐我[1]。公将战[2]，曹刿请见[3]。其乡人曰[4]:“肉食者谋之[5]，又何间焉[6]。”刿曰:“肉食者鄙[7]，未能远谋[8]。”乃入见。问何以战[9]。公曰:“衣食所安，弗敢专也，必以分人[10]。”对曰:“小惠未遍[11]，民弗从也。”公曰:“牺牲玉帛[12]，弗敢加也[13]，必以信[14]。”对曰:“小信未孚[15]，神弗福也[16]。”公曰:“小大之狱[17]，虽不能察[18]，必以情[19]。”对曰:“忠之属也[20]，可以一战，战则请从。”

注释

[1] 我:《左传》是依据《春秋》编写的，而《春秋》是鲁国的史书，所以两书中的“我”，都是指鲁国。　[2] 公：鲁庄公。
[3] 曹刿（guì）：鲁国平民，后来晋升为大夫。见：接见。
[4] 乡人：邻里。周代的乡是城市而不是农村的行政单位。

[5]肉食者：当时的俗语，指大夫以上的贵人。因为当时规定只有大夫以上每天有肉吃，所以有这种俗语。　[6]间（jiàn）：参与。　[7]鄙：浅薄，狭隘。　[8]远谋：长远考虑。　[9]何以战：靠什么作战。　[10]“衣食”句：意思是说，好吃好穿的从不独享，一定分些给别人。专，独自享用。　[11]遍：周遍，指满足所有人。　[12]牺牲：祭祀用的牲口。玉帛：指祭祀用品。　[13]加：过分，指超越礼制的规定。　[14]信：诚意。　[15]孚（fú）：被别人所信服。　[16]福：降福，保佑。　[17]狱：案件。　[18]察：清楚。　[19]必以情：一定按照事实来裁决。　[20]忠：指为民众利益着想。属：类。

公与之乘[1]。战于长勺[2]。公将鼓之[3]。刿曰：“未可。”齐人三鼓，刿曰：“可矣。”齐师败绩[4]。公将驰之[5]。刿曰：“未可。”下视其辙[6]，登轼而望之[7]，曰：“可矣。”遂逐齐师[8]。

注释

[1]乘：乘兵车。　[2]长勺：鲁国地名，在今山东曲阜北。　[3]鼓：击鼓进攻。　[4]败绩：大败。　[5]驰：驱车追击。　[6]下：下车。辙（zhé）：车轮轨迹。　[7]登轼：站到横木上。轼，车厢前的横木，供乘员扶持用。　[8]遂：于是。

既克[1]，公问其故。对曰：“夫战，勇气也，一鼓作气，再而衰，三而竭[2]。彼竭我盈[3]，故克之。

夫大国，难测也，惧有伏焉[4]。吾视其辙乱，望其旗靡[5]，故逐之。”

注释

[1]克：获胜。 [2]“夫(fú)战”句：这里讲的都是士气。夫，发语词，有提示的作用。再，二次。衰，减退。竭，耗尽。
[3]盈：饱满。 [4]“夫大国”句：是说担心齐军是诈败。伏，埋伏。 [5]靡：倒下。

文史链接

齐鲁长勺之战并非影响深远的大战役，它的起因是齐桓公恼恨鲁国支持公子纠跟他抢当国君，于是坐稳位子之后发兵报复。使这场战役名垂青史的，是战前、战时的一系列战略分析和战术安排，同时留下大名的，还有平民曹刿。

《左传》写战争，特别注重从战略高度来把握战局，本篇是具体而微的好例子。后人把这一战看作以弱胜强的经典战役，但是其实当时齐鲁之间的实力并没有我们想象的悬殊。在战斗力相差不大的情况下，制胜的要素，一是士气，二是战术。对于前者，曹刿认为获得民心就可一战；对于后者，曹刿发明了“一鼓作气”这种战术。

思考讨论

1. 曹刿助鲁国取胜。请谈谈你对曹刿其人的看法。

2. 中国历史上，以弱胜强的战役，除了长勺之战外，还有官渡之战、赤壁之战、淝水之战、采石矶之战等。请联系古今战役，谈谈以弱胜强的普遍决定因素。

宋南宫万之勇

（庄公十一、十二年）

乘丘之役[1]，公以金仆姑射南宫长万[2]，公右遄孙生搏之[3]。宋人请之[4]。宋公靳之[5]，曰："始吾敬子；今子，鲁囚也，吾弗敬子矣[6]。"病之[7]。

（以上庄公十一年）

注释

[1] 乘（shèng）丘：鲁国地名，在今山东兖州境内。战役发生在庄公十年六月。 [2] 公：鲁庄公。金仆姑：箭的名称。南宫长万：宋国大力士，姓南宫，名万，字长。 [3] 右：车右，站在战车右边负责使戈的武士。遄（chuán）孙：鲁国大夫。生搏：活捉。之：指南宫万。 [4] 请之：请求释放南宫万。 [5] 宋公：宋闵（mǐn）公。靳（jìn）：奚落，嘲弄。 [6]"始吾"句：是说原本我很敬重你，现在你当了鲁国的俘虏回来，我不再敬重你了。[7] 病之：南宫万对此耿耿于怀。

十二年秋，宋万弑闵公于蒙泽[1]。遇仇牧于门[2]，批而杀之[3]。遇大宰督于东宫之西[4]，又杀之。立子游[5]。群公子奔萧[6]，公子御说奔亳[7]。南宫牛、猛获帅师围亳[8]。

注释

[1] 宋万，即南宫万。弑（shì）：杀害，指臣下杀害君主。蒙泽：宋国地名，在今河南商丘北。　[2] 仇牧：宋国大夫。　[3] 批：反手击打。　[4] 大宰督：宋国的太宰华督。东宫：诸侯的小寝宫的通称。　[5] 子游：宋国公子。　[6] 群公子：指其他公子们。萧：宋的附庸国，在今安徽萧县。　[7] 公子御说：宋闵公的弟弟。亳（bó）：地名，在今河南商丘北。　[8] 南宫牛：南宫万的弟弟。猛获：南宫万的同党。

冬十月，萧叔大心及戴、武、宣、穆、庄之族以曹师伐之[1]。杀南宫牛于师[2]，杀子游于宋，立桓公[3]。猛获奔卫[4]。南宫万奔陈[5]，以乘车辇其母[6]，一日而至[7]。

注释

[1] 萧叔大心：萧的地方官。戴、武、宣、穆、庄之族：指宋国戴公、武公、宣公、穆公、庄公的后裔家族。以：借助。曹师：曹国的军队。　[2] 师：指围困亳地的军队。　[3] 桓公：即公子御说。　[4] 卫：国名，领土在今河南濮阳一带。　[5] 陈：国名，领土在今河南东南及安徽北部一带。　[6] 乘车：坐人的车。辇：以人拉车。　[7] 一日而至：从宋国到陈国有二百六十里第，南宫万拉着车一天走到，形容他力大无穷。

宋人请猛获于卫，卫人欲勿与[1]。石祁子曰[2]：

“不可。天下之恶一也，恶于宋而保于我，保之何补[3]？得一夫而失一国，与恶而弃好[4]，非谋也[5]。”卫人归之。亦请南宫万于陈，以赂[6]。陈人使妇人饮之酒，而以犀革裹之[7]。比及宋，手足皆见[8]。宋人皆醢之[9]。（以上庄公十二年）

注释

[1]欲勿与：想不把猛获交还给宋国。　[2]石祁子：卫国大夫。　[3]“天下”句：意思是天下的恶人都是一样被人憎恨的，被宋国憎恨的猛获却在我国受到保护，保护他有什么好处？　[4]与恶：袒护恶人。弃好：背弃友邦。　[5]非谋：不是好主意。　[6]“亦请”句：意思是宋人用财物跟陈人交换南宫万。赂，财物。　[7]犀革：犀牛皮，当时是最精良的甲衣材料。　[8]“比及”句：形容南宫万的神力，把他押送到宋国时，他已经挣破包裹得严严实实的犀牛皮，手脚都露出来了。　[9]醢(hǎi)：剁成肉酱。

文史链接

《左传》记载了许多大力士的勇武事迹，这一节的南宫万是其中之一。

如何描述一个有超人般强壮体魄的勇士，是这段文字引人入胜之处。放在后代小说中，南宫万的体格、长相一定会被大肆渲染，《左传》对比却只字不提，而是用本事说话，选取徒手杀人、辇车载母、撑裂犀牛皮三件事，以极其经济的笔墨勾勒出一个弑君莽夫的形象。施耐庵用几百字写武松打虎，固然英风凛凛、惊心动魄；《左传》只用寥寥数字写南宫万撑破犀牛皮，不也同样匪夷所思、骇人听闻？

思考讨论

1. 南宫万会让你联想起后代小说中的哪些人物？他们有什么共同特点？

2. 阅读《史记·宋微子世家》中关于南宫万的片段描写，比较其与《左传》描写之异同。

第三章 僖 公

晋献公假途伐虢

（僖公二年、五年）

晋荀息请以屈产之乘与垂棘之璧[1]，假道于虞以伐虢[2]。公曰[3]：“是吾宝也[4]。”对曰：“若得道于虞，犹外府也[5]。”公曰：“宫之奇存焉[6]。”对曰：“宫之奇之为人也，懦而不能强谏，且少长于君，君暱之，虽谏，将不听[7]。”乃使荀息假道于虞，曰：“冀为不道，入自颠軨，伐鄍三门[8]。冀之既病，则亦唯君故[9]。今虢为不道，保于逆旅[10]，以侵敝邑之南鄙[11]。敢请假道，以请罪于虢[12]。”虞公许之，且请先伐虢。宫之奇谏，不听，遂起师[13]。夏，晋里克、荀息帅师会虞师伐虢[14]，灭下阳[15]。（以上僖公二年）

注释

[1] 荀息：晋国大夫。屈产之乘：屈地出产的骏马。垂棘之璧：

垂棘出产的美玉。 [2]假道：借路。虞：国名，在今山西平陆一带。虢：国名，在今山西平陆和河南三门峡一带。 [3]公：晋献公。 [4]是:代词,指上述骏马和美玉。 [5]“若得道”句:意思是晋国终将灭掉虞国，现在这些宝贝只是暂时寄存在它那里。外府，外面的仓库。 [6]宫之奇：虞国大夫，贤臣。存：在。[7]“宫之奇”句：意思是宫之奇的为人懦弱，不善于坚持意见；而且从小在宫廷长大，虞君跟他极亲昵，虽然有所规劝，也肯定不会听他的。 [8]“冀为”句:是说早年冀国攻打虞国的事情。冀，国名，在今山西河津一带。不道，残暴。颠軨（líng），又叫虞坂，是穿越中条山的通道。鄍（míng),虞国地名。 [9]“冀之”句:是说当年我们痛击冀国，完全是为了帮你们报复仇敌。这是提醒虞国要感恩。 [10]保于逆旅:指虢国在晋国边境借旅舍建堡垒，抢夺财物。 [11]敝邑：谦称，指晋国。南鄙：南部边境。[12]请罪于虢：外交辞令，意思就是跟虢国开战。罪，问罪。[13]起师:出兵。 [14]里克:晋大夫。 [15]下阳:虢国地名，在今山西平陆东北。

晋侯复假道于虞以伐虢。宫之奇谏曰：“虢，虞之表也[1]。虢亡，虞必从之[2]。晋不可启，寇不可玩，一之谓甚，其可再乎[3]？谚所谓‘辅车相依，唇亡齿寒’者[4]，其虞、虢之谓也。”公曰:“晋，吾宗也[5]，岂害我哉？”对曰：“大伯、虞仲[6]，大王之昭也[7]。大伯不从，是以不嗣。虢仲、虢叔[8]，王季之穆也，为文王卿士，勋在王室，藏于盟府[9]。将虢是灭，

何爱于虞[10]？且虞能亲于桓、庄乎，其爱之也？桓、庄之族何罪，而以为戮，不唯偪乎[11]？亲以宠偪，犹尚害之，况以国乎[12]？”公曰：“吾享祀丰洁[13]，神必据我[14]。”对曰：“臣闻之，鬼神非人实亲，惟德是依[15]。故《周书》曰[16]：‘皇天无亲，惟德是辅。’又曰：‘黍稷非馨，明德惟馨。’又曰：‘民不易物，惟德繄物。’如是，则非德，民不和，神不享矣[17]。神所冯依[18]，将在德矣。若晋取虞而明德以荐馨香，神其吐之乎[19]？”弗听，许晋使。宫之奇以其族行[20]，曰：“虞不腊矣，在此行也，晋不更举矣[21]。”

注释

[1]表：外围屏障。　[2]从之：跟着（灭亡）。　[3]“晋不”句：意思是虞国三年前给晋国借过一次路，没有出事已经万幸，这次无论如何不能再借。启，指开启野心。玩，轻忽。　[4]辅车相依，唇亡齿寒：指双方互相依存，一损俱损。这里用来比喻虞国和虢国的关系。辅，车厢两旁的板。　[5]宗：同宗。晋君和虞君都姓姬，所以这样说。　[6]大伯、虞仲：都是周太王（即大王）的儿子。虞仲是虞国的开国君主。　[7]昭：古代的宗庙、祖坟是按照“昭穆”次序排列的。计算方法是：始祖居中，其下第一代居左，第二代居右。接下来凡是单数辈分的都居左，双数

辈分的都居右。居左的叫做昭，居右的叫做穆。　[8]虢仲、虢叔：都是王季的儿子，周太王的孙子，是虢国的开国君主。　[9]盟府：收藏封赏记录和誓词的档案库。　[10]“将虢”句：是说虢国也是晋的同宗，现在要灭掉它了，又怎么会格外保护虞国呢？　[11]“恒、庄”句：是说晋献公连自己的叔伯兄弟都斩尽杀绝，不就是因为他们对晋献公造成威胁吗？　[12]“亲以”句：是说亲族之间因为受宠而让晋献公感到威胁，就灭掉他们，何况是国家之间呢？这跟前面几句都是告诫虞君，晋献公一向有吞并扩张的野心，并且心狠手辣。　[13]丰洁：丰富而整洁。　[14]据：依从，袒护。　[15]“鬼神”句：鬼神不会特别亲近某个人，他们只依附于德行。　[16]《周书》:《尚书》的一部分。此处三句《周书》引文都不见于现存的《尚书》，它们的含意都是说只有德行完美才能获得上天的眷顾。　[17]“如是”句：是说这样看来，（君主）没有德行的话，百姓就不和睦，神灵就不庇佑。　[18]冯（píng）依：依附。冯，同“凭”。　[19]“若晋”句：是说要是晋国灭了虞国而又修行美德以祭祀，想必神灵也不会拒绝他们。　[20]以其族行：带着家族的人离开。　[21]“虞不”句：是说虞国熬不到年底的腊祭了，这次晋国灭完虢国顺路就灭掉虞国，不用再出兵了。

……

冬十二月丙子朔[1]，晋灭虢，虢公丑奔京师[2]。师还，馆于虞[3]，遂袭虞，灭之，执虞公及其大夫井伯，以媵秦穆姬[4]。而修虞祀，且归其职贡于王[5]。

（以上僖公五年）

注释

[1]朔:每个农历月的初一。 [2]京师:周王朝的首都洛阳。[3]馆:住。 [4]媵(yìng):陪嫁。秦穆姬:晋献公的女儿,后来嫁给秦穆公。 [5]"而修"句:是说晋国继续虞国境内的各种祭祀,并且替虞承担给周天子的劳役和贡品。这正是宫之奇担心的晋人"取虞而明德以荐馨香"。

文史链接

晋国的强大是从晋献公开始的,他扩张的成名一役就是"假途伐虢",其策略被奉为兵家经典。

晋国、虞国、虢国的领土都在今山西南部,大抵由北向南排列,虢国部分土地进入了今天河南三门峡的南岸。晋国要向南称霸中原,向西遏制秦国,就得占领这两个咽喉要地。虞、虢两国关系密切,以晋国的实力,难以同时对付两国,于是晋人先用离间计隔绝两国关系,然后各个击破。这就是《孙子兵法》里说的"伐交"计谋。"假途伐虢"的策略充分体现了晋军"兵行诡道"的特点,跟其他大国以堂堂之阵、正正之旗正面交锋不一样,晋人喜欢使诈,工于用计。这一点在以后的多场战役都有体现。

虞国虽然有宫之奇这样的明眼人,但是晋国显然事先在"信息战"就赢得了胜利:荀息敏锐地洞察到了虞君和宫之奇的微妙关系,断定前者不会听从后者的警告。能抓住这个破绽下笔,《左传》作者的高明可见一斑。

思考讨论

1. "假途伐虢"计谋的成功,是利用了人性的哪些弱点?

2. 除了"假途伐虢",你知道"三十六计"中还有哪几计出自《左传》?

齐楚召陵会盟

（僖公四年）

四年春，齐侯以诸侯之师侵蔡[1]。蔡溃，遂伐楚。楚子使与师言曰[2]："君处北海，寡人处南海，唯是风马牛不相及也[3]。不虞君之涉吾地也[4]，何故？"管仲对曰："昔召康公命我先君大公曰[5]：'五侯九伯，女实征之，以夹辅周室[6]。'赐我先君履，东至于海，西至于河，南至于穆陵，北至于无棣[7]。尔贡苞茅不入[8]，王祭不共[9]，无以缩酒[10]，寡人是征[11]。昭王南征而不复[12]，寡人是问。"对曰："贡之不入[13]，寡君之罪也，敢不共给[14]？昭王之不复，君其问诸水滨[15]。"师进，次于陉[16]。

齐桓公

注释

[1]齐侯:齐桓公。以:率领。蔡:国名,领土在今河南上蔡一带。 [2]楚子:楚成王。 [3]风马牛不相及:比喻齐国和楚国距离遥远,互不相干。 [4]不虞:没想到。涉吾地:到我们国家来。 [5]召(shào)康公:周的开国大臣召公奭(shì)。大公:齐国的开国君主姜太公。 [6]“五侯”句:意思是各诸侯国如果有罪,你齐国可以代表天子征伐,以辅助王室。 [7]“赐我”句:列举东西南北几个地名是声明齐国有权打到楚国的边界。履,指齐国可以征伐的疆域。 [8]苞茅:过滤酒糟用的一种茅草。 [9]王祭不共:周王祭祀的时候没法用苞茅这种贡品。 [10]缩酒:滤酒。 [11]寡人是征:我因此前来问罪。 [12]“昭王”句:讲的是西周初期的故事。周昭王南征楚国,因为楚人使坏,给他用胶粘的木船,结果在汉水上船身解体,昭王溺死。 [13]贡之不入:不进贡。 [14]共给:供给。 [15]“昭王”句:是说昭王为何淹死,你去问汉水边的人。因为那时候汉水还不是楚国的领地。 [16]次:驻扎。陉(xíng):楚国地名,今地不详。

夏,楚子使屈完如师[1]。师退,次于召陵[2]。

注释

[1]屈完:楚大夫。如师:到诸侯联军去。 [2]召陵:地名,大约在今河南郾城东。

齐侯陈诸侯之师[1],与屈完乘而观之。齐侯曰:“岂不穀是为?先君之好是继。与不穀同好,如何[2]?”

对曰："君惠徼福于敝邑之社稷，辱收寡君，寡君之愿也[3]。"齐侯曰："以此众战，谁能御之[4]？以此攻城，何城不克？"对曰："君若以德绥诸侯[5]，谁敢不服？君若以力，楚国方城以为城，汉水以为池，虽众，无所用之[6]。"

注释

[1]陈：列阵。 [2]"齐侯"句：齐桓公说，我这次来不是为了扩充齐国的势力，是为了继承和发展我们的友好关系。我们交好怎么样？不穀（gǔ），诸侯的谦称。 [3]"对曰"句：屈完说，您给我国带来福音，屈尊接纳我们的君主，这也是我们国君的愿望。 [4]御：抵挡。 [5]绥（suí）：安定。 [6]"君若"句：是说您要是用武力来攻打，楚国就以桐柏山、大别山一线为城墙，以汉水为护城河，你们虽然人多势众，也奈何不了我们。

屈完及诸侯盟[1]。

注释

[1]"屈完"句：屈完与诸侯订立盟约。

文史链接

齐桓公称霸中原的时候，南方的楚国也正大肆吞并汉水流域的小国，势力一路拓展到现在的河南南部，终于跟齐国发生了摩擦。

这次齐国兵锋南指楚国，直接起因是讨伐楚国的附庸蔡国，更深层的战略考虑是威慑正在崛起的楚国。不过显然齐楚双方都互相忌惮，因此并未直接交锋，而是各自让步之后签订盟约了事。

事件中最值得称道的当然是楚国的使者屈完，面对咄咄逼人的霸主，军容赫赫的联军阵势，他丝毫没有屈服退让，反而以其理直气壮的词锋，遏止了齐桓公的侵略野心，真正做到了“不战而屈人之兵”。

思考讨论

1.“召陵之盟”的成功与楚大夫屈完的外交才智密不可分，你认为他能不辱使命的原因是什么？

2. 除了“召陵之盟”，“不战而屈人之兵”的经典事例在历史上并不鲜见。请阅读《墨子·公输》，了解“输攻墨守”，谈谈他们成功的决定因素。

秦晋韩之战

（僖公十五年）

三败及韩[1]。晋侯谓庆郑曰[2]：“寇深矣[3]，若之何？”对曰：“君实深之，可若何[4]？”公曰：“不孙[5]。”卜右，庆郑吉，弗使[6]。步扬御戎，家仆徒为右[7]，乘小驷[8]，郑入也[9]。庆郑曰：“古者大事，必乘其产，生其水土而知其人心，安其教训而服习其道，唯所纳之，无不如志[10]。今乘异产，以从戎事，及惧而变，将与人易[11]。乱气狡愤，阴血周作，张脉偾兴，外强中干。进退不可，周旋不能，君必悔之[12]。”弗听。

注释

[1]三败及韩：是说晋军连打三场败仗，退到韩。韩大约在今山西河津一带。 [2]晋侯：晋惠公。庆郑：晋国大夫。 [3]寇深：敌人深入国境。 [4]“君实”句：是您把敌人招来的，有什么办法呢？暗指晋惠公背信弃义的种种举动。 [5]不孙：不逊，无礼。 [6]“卜右”句：是讲出征前占卜，结果显示庆郑做惠公的车右吉利，但是惠公不要他。 [7]步扬、家仆徒：都是晋国大夫。御戎：给元帅驾车。惠公亲征，所以他是元帅。 [8]小驷：马名。 [9]入：进贡。 [10]“古者”句：是说打仗这种大事，一定要驾驭本国的马匹，因为它们适应水土，了解主人，训练有素，服从指挥，怎么操控都得心应手。 [11]“今乘”句：是说现在临时驾了外国马来参战，一旦它们临阵胆怯，举止反常，不听号令，御手就无法控制了。 [12]“乱气”句：是说到时这些外国马气息急促，血流加速，脉管贲张，外表很强悍，内里很怯懦。进不能进，退不能退，转弯也不行，您一定会后悔的。

九月，晋侯逆秦师[1]，使韩简视师[2]，复曰：“师少于我，斗士倍我[3]。”公曰：“何故？”对曰：“出因其资，入用其宠，饥食其粟，三施而无报，是以来也[4]。今又击之，我怠秦奋，倍犹未也[5]。”公曰：“一夫不可狃，况国乎[6]？”遂使请战，曰：“寡人不佞，能合其众而不能离也，君若不还，无所逃命[7]。”秦伯使公孙枝对曰[8]：“君之未入，寡人惧之，入而未定列，犹吾忧也。苟列定矣，敢不承命[9]？”韩简退曰：“吾幸而得囚[10]。”

注释

[1]逆：迎击。 [2]韩简：晋国大夫。视师：侦察秦军虚实。 [3]“师少”句：意思是秦军人数比我们少，能打仗的人员超出我们一倍。 [4]“出因”句：意思是您流亡是靠秦国资助，回国是靠秦国庇护，饥荒来了吃人家的救济，这三次恩惠都没有报答，所以人家出兵了。 [5]“今又”句：是说我们还跟秦军交锋，我军懈怠，秦军奋勇，战斗力比我们高一倍都不止。
[6]“一夫”句：意思是一个人尚且不能被轻侮，何况我堂堂晋国。狃（niǔ），轻侮。 [7]“寡人”句：是说我没本事，把军队召集起来了却不能解散他们，您要是不撤兵，我们只好听您指令跟您开战了。不佞（nìng），谦辞，不才，没本事。 [8]秦伯：秦穆公。公孙枝：秦国大夫。 [9]“君之”句：意思是您没回晋国的时候，我很担心；您回了晋国还没登基的时候，我更担心。既然现在您已经得了君位，我怎敢不接受您的战书呢？
[10]“吾幸”句：意思是我能当个俘虏就算运气了。

壬戌[1]，战于韩原[2]，晋戎马还泞而止[3]。公号庆郑[4]。庆郑曰："愎谏违卜，固败是求，又何逃焉[5]？"遂去之[6]。梁由靡御韩简，虢射为右，辂秦伯，将止之[7]。郑以救公误之，遂失秦伯[8]。秦获晋侯以归。晋大夫反首拔舍从之[9]。秦伯使辞焉[10]，曰："二三子何其戚也[11]？寡人之从晋君而西也，亦晋之妖梦是践，岂敢以至[12]？"晋大夫三拜稽首曰[13]："君履后土而戴皇天，皇天后土实闻君之言，群臣敢在下风[14]。"

注释

[1]壬戌：九月十四日。　[2]韩原：即韩。　[3]戎马：给晋惠公驾车的马。还（huán）泞而止：陷进泥潭出不来。　[4]号:高声呼叫。　[5]"愎谏"句:意思是不听劝告,违背占卜,失败是自找的,又怎能逃得掉?　[6]去:离开。　[7]"梁由靡"句：是说韩简的兵车小组已经抓住秦穆公的马缰，就要俘虏他了。梁由靡、虢射，晋将官。辂（lù），揪住马缰。　[8]"郑以"句:是说庆郑自己不去救晋惠公，跑来让韩简等人去救，结果倒让秦穆公逃脱了。　[9]反首:披头散发。拔舍:拔起宿营帐篷。从之:跟着俘虏了晋惠公的秦军。　[10]辞:劝走。　[11]"二三子"句：意思是各位何必忧心忡忡？　[12]"寡人"句：外交辞令，意思是我跟着你们国君到西边去，是应验了当年太子申生斥责晋惠公的妖梦，我不敢做得太过分的。　[13]三拜稽首：这是亡国或快要亡国的人行的礼。　[14]"君履"句:是说您顶天立地，天地神灵都听见您的话，我们在下头等候回音。

穆姬闻晋侯将至[1]，以大子罃、弘与女简璧登台而履薪焉[2]。使以免服衰绖逆[3]，且告曰："上天降灾，使我两君匪以玉帛相见[4]，而以兴戎[5]。若晋君朝以入，则婢子夕以死；夕以入，则朝以死。唯君裁之[6]。"乃舍诸灵台[7]。

注释

[1]穆姬：秦穆公的夫人，晋惠公的异母妹妹。　[2]大子罃（yīng）：即后来的秦康公。弘和简璧也是秦穆公的子女。履薪：站在柴堆上，表示准备自焚。　[3]"使以"句：意思是让人穿着丧服去迎接秦穆公，准备给母子几位发丧。免（wèn）服，去掉帽子，用布带束起头发。衰绖（cuī dié），丧服。　[4]匪：同"非"，不是。以玉帛相见：友好往来。　[5]兴戎：发动战争。　[6]"若晋君"句：意思是您看着办吧。婢子，穆姬的谦称。裁，决定。　[7]"乃舍"句：指秦穆公听到穆姬的威胁，赶紧把晋惠公安排下来。舍，安顿。灵台，秦都城外的宫殿。

大夫请以入[1]。公曰："获晋侯，以厚归也；既而丧归，焉用之[2]？大夫其何有焉[3]？且晋人戚忧以重我，天地以要我[4]。不图晋忧，重其怒也；我食吾言，背天地也[5]。重怒难任[6]，背天不祥，必归晋君[7]。"公子縶曰[8]："不如杀之，无聚慝焉[9]。"子桑曰[10]："归之而质其大子，必得大成[11]。晋未

可灭而杀其君，只以成恶[12]。且史佚有言曰[13]：‘无始祸，无怙乱，无重怒[14]。’重怒难任，陵人不祥[15]。”乃许晋平[16]。

注释

[1]“大夫”句：是说秦国大夫请求把晋惠公带进都城，准备羞辱他一番。 [2]“获晋侯”句：意思是说，抓到晋惠公本是个大收获，可要是带他进城，穆姬自杀，喜事变成丧事了，那还有什么用？ [3]何有：有什么好处。 [4]“且晋人”句：意思是说，晋人用忧伤而来打动我，用天地神灵来约束我。[5]“不图”句：意思是说，不考虑晋人的忧伤，会加重他们的愤怒；说话不算数，是违背天地。 [6]任：承受。 [7]归：释放。[8]公子絷（zhí）：秦国公子子显。 [9]聚慝（tè）：招致祸患。[10]子桑：即公孙枝。 [11]“归之”句：意思是放惠公回去，让他把太子送来做人质，这样一定会获得极有利的和谈条件。[12]成恶：造成恶果。 [13]史佚（yì）：西周早期的史官。[14]“无始祸”句：意思是不要煽风点火，不要趁火打劫，不要火上浇油。 [15]“重怒”句：是说激起的怒火很难承受，欺负别人不吉利。 [16]平：讲和。

晋侯使郤乞告瑕吕饴甥[1]，且召之。子金教之言曰：“朝国人而以君命赏[2]，且告之曰：‘孤虽归，辱社稷矣，其卜贰圉也[3]。’”众皆哭。晋于是乎作爰田[4]。吕甥曰：“君亡之不恤，而群臣是忧，惠

之至也[5]。将若君何[6]？”众曰：“何为而可[7]？”对曰：“征缮以辅孺子，诸侯闻之，丧君有君，群臣辑睦，甲兵益多，好我者劝，恶我者惧，庶有益乎[8]！”众说[9]。晋于是乎作州兵[10]。

注释

[1]郤（xì）乞、瑕吕饴（yí）甥：都是晋大夫。瑕吕饴甥，姓吕，字子金。　[2]“朝国人”句：意思是让郤乞以惠公的名义召见国人并赏赐他们。国人，当时住在城里的人叫国人，住在郊外的叫野人。　[3]“孤虽归”句：意思是我虽然回来了，却玷辱了国家，大家还是占卜辅佐太子登基的事情吧。圉（yǔ），惠公的太子，后来的晋怀公。　[4]爰（yuán）田：晋国新的土地制度。[5]“君亡”句：是说国君不为自己的流亡担心，却担心大臣们的命运，这是最大的恩惠。　[6]将若君何：我们怎么报答国君呢？　[7]何为而可：怎么做才好？　[8]“征缮”句：交足税，修好兵器，辅助新国君。诸侯听说我们失去了老国君又有了新国君，大臣们团结和睦，兵多将广，友邦鼓励我们，敌国害怕我们，一定会有益国家。　[9]说：同“悦”，欢喜。　[10]州兵：晋国的新兵制。

……

十月，晋阴饴甥会秦伯[1]，盟于王城[2]。

注释

[1]阴饴甥：即瑕吕饴甥。 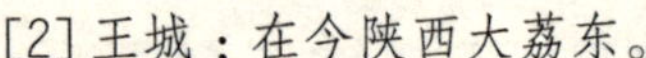
[2]王城：在今陕西大荔东。

秦伯曰："晋国和乎[1]？"对曰："不和。小人耻失其君而悼丧其亲，不惮征缮以立圉也[2]，曰：'必报仇，宁事戎狄[3]。'君子爱其君而知其罪，不惮征缮以待秦命[4]，曰：'必报德，有死无二[5]。'以此不和。"秦伯曰："国谓君何[6]？"对曰："小人戚[7]，谓之不免[8]。君子恕[9]，以为必归。小人曰：'我毒秦[10]，秦岂归君？'君子曰：'我知罪矣，秦必归君。贰而执之，服而舍之，德莫厚焉，刑莫威焉[11]。服者怀德，贰者畏刑[12]。此一役也，秦可以霸。纳而不定，废而不立，以德为怨，秦不其然[13]。'"秦伯曰："是吾心也[14]。"改馆晋侯[15]，馈七牢焉[16]。

注释

[1]和：协调一致。 [2]"小人"句：意思是小人认为失去国君是耻辱，并且哀悼失去了亲人，不惜整修军备拥戴新君。 [3]"必报"句：意思是宁可服侍戎狄，也要报仇雪恨。戎狄，当时对少数部族的统称。 [4]"君子"句：是说君子们爱戴惠公，也知道是他不对，因此不惜整装待发听候贵国的命令。 [5]"必报德"句：意思是一定要以死报答秦国的恩惠。其实就是准备决

一死战。　[6]国谓君何：晋人觉得惠公的命运会如何？
[7]戚:忧愁。　[8]不免:不能幸免。　[9]恕:设身处地着想。
[10]毒秦:伤害秦国。　[11]“贰而”句:惠公背信弃义就抓他，认罪服输就放他，没有比这更宽厚的仁德，没有比这更威严的刑罚。
[12]“服者”句：意思是顺服的人感激你的仁德，背叛的人畏惧你的刑罚。　[13]“纳而”句：当初您把惠公送回去当国君，又不让他安稳，废了他又不立个新君，这样仁德也会变成怨恨，想必秦国不会这样做吧？　[14]是吾心也：这正是我的想法。
[15]馆：安置。　[16]馈：赠送。七牢：牛、羊、猪各一头叫一牢，七牢是招待诸侯的标准。

文史链接

春秋中期，秦国和晋国关系密切，两国累代缔结姻亲，所以现在还用“秦晋之好”这个成语祝贺新婚夫妻。可是亲家常常是冤家，秦、晋也经常打仗。

晋惠公得到秦穆公的支持回国登基，却马上背信弃义，过河拆桥，还试图趁秦国饥荒趁火打劫，于是“韩战”爆发。这是《左传》记载的第一场大战。

对于晋惠公，这是一场自取其辱的战役，以丧师被俘收场，并且连累晋国丢失了黄河西岸的大片土地。秦国把版图向东拓展了几百里，却限于实力和人情，最后释放了晋惠公。

从文学的角度说，战前晋国君臣的矛盾分歧和战后的众志成城形成强烈的对比，可见多难兴邦；末了瑕吕饴甥对秦穆公的对答绵里藏针，谦卑自责的字眼底下蕴涵决死的信心，跟前一篇屈完的气壮山河全然不同。

思考讨论

1.“韩战”之后，晋军溃败，国君被俘。秦国为什么没有乘胜追击，反而作出让步，与晋国重新结盟？

2.同样是会盟，与前面《齐楚召陵会盟》中的屈完相比，阴饴甥的处境更为被动。他怎样利用秦穆公的心理，最终缔结了有利于晋国的盟约？

宋楚泓之战

（僖公二十二年）

楚人伐宋以救郑。宋公将战，大司马固谏曰[1]：“天之弃商久矣，君将兴之，弗可赦也已[2]。”弗听。

注释

[1]大司马固：宋国大夫公孙固。　[2]“天之”句：是说上天抛弃商族很久了，您要振兴它，上天一定不会饶恕你。商，宋人是商族人的后代，所以又叫商。

冬十一月己巳朔[1]，宋公及楚人战于泓[2]。宋人既成列[3]，楚人未既济[4]。司马曰[5]：“彼众我寡，及其未既济也，请击之。”公曰：“不可。”既济而未成列，又以告。公曰：“未可。”既陈而后击之[6]，

宋师败绩[7]。公伤股[8]，门官歼焉[9]。

注释

[1]朔：初一。　[2]泓（hóng）：河名，在今河南柘城北。　[3]成列：排好军阵。　[4]既济：全部渡河。　[5]司马：即公孙固。　[6]既陈：（楚军）排好阵势。　[7]败绩：大败。　[8]股：大腿。　[9]门官：近卫亲兵。歼：杀光。

国人皆咎公[1]。公曰："君子不重伤，不禽二毛[2]。古之为军也[3]，不以阻隘也[4]。寡人虽亡国之余[5]，不鼓不成列[6]。"子鱼曰[7]："君未知战。勍敌之人，隘而不列，天赞我也[8]。阻而鼓之，不亦可乎？犹有惧焉[9]。且今之勍者[10]，皆吾敌也。虽及胡耇，获则取之，何有于二毛[11]？明耻、教战[12]，求杀敌也[13]。伤未及死，如何勿重[14]？若爱重伤，则如勿伤；爱其二毛，则如服焉[15]。三军以利用也，金鼓以声气也[16]。利而用之，阻隘可也；声盛致志，鼓儳可也[17]。"

注释

[1]咎（jiù）：责备。　[2]"君子"句：意思是君子不伤害受伤的人，不俘虏上年纪的人。　[3]为军：打仗。　[4]不

以阻隘：不凭险阻取胜。　[5]亡国之余：亡国的后代。商被周灭亡之后，遗民被安置在宋，所以宋襄公这样说。　[6]鼓：进攻。　[7]子鱼：即公孙固。　[8]“勍（qíng）敌”句：是说强敌在险要的地方不能摆开阵势，这是老天帮咱们忙啊。勍敌，强敌。赞，帮助。　[9]“阻而”句：意思是这时候我们阻击他们，不是大好机会吗？即使这样还担心敌不过他们呢。阻，拦截。[10]勍者：强壮的人。　[11]“虽及”句：意思是即使是老头，能抓就抓，哪管什么上年纪的？胡耇（gǒu），老年人。何有，不管，不顾。　[12]明耻：使士兵知道什么是耻辱。教战：教打仗。[13]求：追求。　[14]“伤未”句：意思是说，敌人受伤了还没死，为什么不能再伤害？重（chóng），再次。　[15]“若爱”句：是说如果不忍心再攻击伤兵，开始就不该伤他；如果爱护上年纪的人，就该归顺他。　[16]“三军”句：是说三军根据有利情况调动，金鼓依靠声音鼓舞士气。　[17]“利而”句：是说情况有利就动手，在险要地方消灭敌人是可以的；鼓声震天，士气高昂，进攻阵容不整的敌人是可以的。儳（chán），不整齐。

文史链接

齐桓公称霸的时候，宋国跟齐国关系最亲密，地位也最高。齐桓公去世之后，宋襄公试图接替他的衣钵，做中原诸侯的盟主。但是强大的楚国并不买它的账，于是趁宋国讨伐盟友郑国的机会，出兵救援，在泓这个地方一举击溃宋国。

本节描写的就是楚、宋两军交战前后的事情。宋军力量处于劣势，但是他们先占据了滩头阵地，本来可以给正在渡河的楚军以毁灭性打击。但是宋襄公愚蠢地遵守所谓“仁义”的原则，奉行“为战以礼”的教条，一再错失战机，结果被楚军击溃。宋襄公自己大腿中箭，次年夏天伤重不治。宋国也从此沦为二等诸侯。

思考讨论

1. 宋襄公死守战争道德论，最终惨败，有人讥讽他迂腐教条、食古不化，亦有人将其理解为一种执拗的贵族精神。你又是怎么看的？

2. 大司马子鱼的战术主张跟宋襄公的根本分歧是什么？

晋公子重耳的流亡

（僖公二十三年、二十四年）

晋公子重耳之及于难也[1]，晋人伐诸蒲城。蒲城人欲战，重耳不可，曰："保君父之命而享其生禄，于是乎得人[2]。有人而校，罪莫大焉[3]。吾其奔也[4]。"遂奔狄。从者狐偃、赵衰、颠颉、魏武子、司空季子[5]。狄人伐廧咎如[6]，获其二女叔隗、季隗，纳诸公子[7]。公子取季隗[8]，生伯儵、叔刘，以叔隗妻赵衰，生盾[9]。将适齐[10]，谓季隗曰："待我二十五年，不来而后嫁。"对曰："我二十五年矣，又如是而嫁，则就木焉[11]。请待子。"处狄十二年而行[12]。

晋文公复国图

注释

[1]及于难：指重耳受到骊姬陷害，出逃蒲城。蒲城在今山西隰（xí）县西北。　[2]“保君”句：意思是说，靠着君父的命令我才享有活命的俸禄，并因此得到大家支持。　[3]“有人”句：是说谁敢抵抗，就罪大恶极。校（jiào），抵抗。　[4]吾其奔也：我还是逃跑吧。　[5]狐偃：重耳的舅舅。赵衰（cuī）：战国七雄之一赵国的先人。颠颉（jié）：晋大夫。魏武子：名犨（chōu），战国七雄之一魏国的先人。司空季子：即胥臣。　[6]狄：北方部族之一。廧（qiáng）咎（gāo）如：狄人的一支。　[7]纳：送给。　[8]取：同“娶”。　[9]盾：赵盾，后来成为晋国名相。[10]适：到，去。　[11]“我二十”句：是说我都二十五岁了，再等二十五年改嫁，我就要进棺材了。　[12]处：居住。

过卫。卫文公不礼焉[1]。出于五鹿[2]，乞食于野人[3]，野人与之块[4]，公子怒，欲鞭之。子犯曰：“天赐也[5]。”稽首[6]，受而载之。

注释

[1]礼：礼遇。　[2]出：离开。五鹿：在今河南濮阳南。[3]野人：住在郊野的人，如农夫之类。　[4]块：土块。[5]天赐：意思是上天赐予土地，是预示重耳将回晋国执政。[6]稽首：古人最重的礼节。因为是接受上天的赐予，所以回礼特别隆重。

及齐，齐桓公妻之，有马二十乘，公子安之[1]。

从者以为不可。将行，谋于桑下[2]。蚕妾在其上[3]，以告姜氏[4]。姜氏杀之，而谓公子曰："子有四方之志，其闻之者吾杀之矣[5]。"公子曰："无之[6]。"姜曰："行也！怀与安，实败名[7]。"公子不可[8]。姜与子犯谋[9]，醉而遣之[10]。醒，以戈逐子犯。

注释

[1] 安之：安于在齐国生活。 [2] 桑下：桑树下。 [3] 蚕妾：养蚕的女奴。其上：桑树上。 [4] 姜氏：即齐桓公的女儿。 [5] "子有"句：意思是您志向远大，听到您的计划的人我已经杀掉了。 [6] 无之：没这回事。 [7] "行也"句：意思是走吧！留恋家小和沉湎安逸，都会败坏名声。 [8] 不可：不同意（离开）。 [9] 子犯：即狐偃。 [10] 醉而遣之：把重耳灌醉之后送走。

及曹，曹共公闻其骈胁[1]，欲观其裸。浴[2]，薄而观之[3]。僖负羁之妻曰[4]："吾观晋公子之从者，皆足以相国[5]。若以相，夫子必反其国[6]。反其国，必得志于诸侯[7]。得志于诸侯而诛无礼，曹其首也[8]。子盍蚤自贰焉[9]？"乃馈盘飧[10]，置璧焉[11]。公子受飧反璧[12]。

注释

[1] 骈（pián）胁：肋骨长在一起连成一片。　[2] 浴：指趁重耳洗澡的时候。　[3] 薄：靠近。　[4] 僖负羁（jī）：曹大夫。[5] 相国：辅佐国家。　[6] 夫（fú）子：那个人，指重耳。反：同“返”，返回。　[7] 得志于诸侯：意思是称霸诸侯。　[8] 曹其首：曹国首当其冲。　[9] 盍（hé）：何不。蚤：同“早”。自贰：表示对重耳友好。　[10] 盘飧（sūn）：一盘熟食。　[11] 置璧：放了块玉璧在底下。　[12] 反：同“返”，退还。

及宋，宋襄公赠之以马二十乘。

及郑，郑文公亦不礼焉。叔詹谏曰[1]：“臣闻天之所启，人弗及也[2]。晋公子有三焉，天其或者将建诸，君其礼焉[3]！男女同姓，其生不蕃。晋公子，姬出也，而至于今[4]，一也。离外之患，而天不靖晋国，殆将启之[5]，二也。有三士，足以上人，而从之[6]，三也。晋、郑同侪[7]，其过子弟，固将礼焉，况天之所启乎[8]？”弗听。

注释

[1] 叔詹：郑文公的弟弟。　[2]“臣闻”句：意思是说，我听说上天要帮忙，人力是比不上的。　[3]“晋公子”句：是说重耳有三个征兆，上天恐怕要扶持他，您还是礼敬他吧！[4]“男女”句：是说同姓结婚，子孙不盛，重耳是晋国公子、姓

姬，又是姬姓女子所生，却活到今天。因为重耳的兄弟多被杀害了，所以这样说。 [5]“离外”句：是说重耳遭受流亡的苦难，上天还不让晋国安宁，恐怕是要扶持他。 [6]“有三”句：是说重耳身边有三个能人，才智超群，却紧跟着他。 [7]同侪(chái)：同辈，指晋和郑是同等级诸侯。 [8]“其过”句：是说兄弟之间往来，本来就要以礼相待，何况他是上天要帮助的人？

及楚，楚子飨之[1]，曰：“公子若反晋国，则何以报不穀[2]？”对曰：“子女玉帛，则君有之；羽毛齿革，则君地生焉[3]。其波及晋国者，君之余也，其何以报君[4]？”曰：“虽然，何以报我？”对曰：“若以君之灵[5]，得反晋国，晋、楚治兵[6]，遇于中原，其辟君三舍[7]。若不获命，其左执鞭弭、右属櫜鞬，以与君周旋[8]。”子玉请杀之[9]。楚子曰：“晋公子广而俭，文而有礼[10]。其从者肃而宽，忠而能力[11]。晋侯无亲[12]，外内恶之。吾闻姬姓，唐叔之后，其后衰者也，其将由晋公子乎[13]！天将兴之，谁能废之？违天必有大咎[14]。”乃送诸秦。

注释

[1]飨(xiǎng)：宴请。 [2]不穀：诸侯的谦称。[3]“子女”句：意思是男女奴仆、宝玉丝绸，您都有了；鸟羽、裘皮、

象牙、犀牛皮，您土地上都出产。 [4]“其波及”句：那些散落到晋国的财宝，都是您剩下的，我拿什么报答您呢？ [5]以君之灵：托您的福。 [6]治兵：外交辞令，即打仗。 [7]辟：同“避”，退让。舍：三十里，是当时一天行军的路程。 [8]“若不”句：意思是倘若得不到您停止进军的命令，那么我就左手拿上马鞭和弓，右边挎上弓箭袋，跟您周旋较量。 [9]子玉：楚国令尹，即成得臣。 [10]“晋公子”句：意思是重耳志向远大而不张扬，说话有文采又合乎礼仪。 [11]“其从者”句：是说他的随从庄重而宽厚，尽忠竭力。 [12]晋侯：晋怀公。无亲：没有亲信。 [13]“吾闻”句：我听说姬姓中唐叔的后代是最后衰亡的，大概是由于重耳的缘故吧！唐叔是晋国的开国君主。 [14]大咎：大灾难。

秦伯纳女五人[1]，怀嬴与焉[2]。奉匜沃盥[3]，既而挥之[4]。怒，曰：“秦、晋匹也[5]，何以卑我[6]！”公子惧，降服而囚[7]。

注释

[1]秦伯：秦穆公。 [2]怀嬴：秦穆公的女儿，曾经嫁给晋怀公。与（yù）：在其中。 [3]奉：同“捧”。匜（yí）：古代一种舀水洗手的用具。沃盥（guàn）：浇水洗手。 [4]既而：完了之后。挥之：重耳把手上的水甩干。这是无礼的举动，所以怀嬴生气。也有人解释作挥手让怀嬴离开。 [5]匹：相当，相匹敌。 [6]卑：藐视。 [7]降服而囚：脱掉衣服请罪。

他日[1]，公享之[2]。子犯曰："吾不如衰之文也，请使衰从[3]。"公子赋《河水》，公赋《六月》[4]。赵衰曰："重耳拜赐[5]。"公子降，拜，稽首，公降一级而辞焉[6]。衰曰："君称所以佐天子者命重耳，重耳敢不拜[7]。"

（以上僖公二十三年）

注释

[1]他日：又一天。　[2]享：设宴招待。　[3]"吾不"句：意思是我不如赵衰有文采，请让他跟您去。　[4]赋：赋诗，就是诵唱《诗经》里某一首诗的片断，借以表达自己的心意或看法。《河水》：逸诗，一说应该是《沔水》，跟《六月》一起收录在《诗经·小雅》里。赵衰用这首诗表示对秦穆公的感激和崇敬。秦穆公则用《六月》祝福重耳称霸诸侯，匡扶天下。　[5]拜赐：拜谢您的恩赐。[6]"公子降"句：讲的是宴会的礼节，客人重耳走下台阶退到堂下，下拜，磕头，主人秦穆公走下一级台阶辞谢。　[7]"君称"句：意思是您用辅佐天子的使命来指示重耳，重耳岂敢不拜谢。

及河[1]，子犯以璧授公子，曰："臣负羁绁从君巡于天下[2]，臣之罪甚多矣。臣犹知之，而况君乎？请由此亡[3]。"公子曰："所不与舅氏同心者，有如白水[4]！"投其璧于河[5]。

注释

[1] 河:黄河。过了黄河就是晋国国境。　　[2] 负羁绁(xiè):表示紧紧追随的意思。羁，马笼头。绁，缰绳。这句是说，我跟着您流亡全国。　　[3]“臣犹”句:是说我知道我多次冒犯了您，您也一定清楚。为了免于回国之后受到惩罚，我请求就此逃亡。[4]“所不”句:意思是我要是不跟舅舅一心一意，听凭河神处罚。[5]“投其”句:把璧抛进水里，是表示用它作祭品起誓。

济河，围令狐，入桑泉，取臼衰[1]。二月甲午，晋师军于庐柳[2]。秦伯使公子絷如晋师[3]，师退，军于郇[4]。辛丑[5]，狐偃及秦、晋之大夫盟于郇。壬寅[6]，公子入于晋师。丙午[7]，入于曲沃[8]。丁未[9]，朝于武宫[10]。戊申[11]，使杀怀公于高梁[12]。不书，亦不告也[13]。

注释

[1] 令狐、桑泉:都在今山西临猗境内。臼衰:在今山西运城。[2] 庐柳:在今山西临猗北。　　[3] 公子絷:秦国公子子显。如:前往。晋师:晋怀公的军队。　　[4] 郇(xún):在今山西临猗西南。[5] 辛丑:十一日。　　[6] 壬寅:十二日。　　[7] 丙午:十六日。[8] 曲沃:在今山西曲沃。　　[9] 丁未:十七日。　　[10] 武宫:重耳祖父晋武公的宗庙。　　[11] 戊申:十八日。　　[12] 高梁:今山西临汾东北。　　[13]“不书”句:是说《春秋》没有记载杀怀公一事，是因为晋国没有将此事报告鲁国。

吕、郤畏逼[1]，将焚公宫而弑晋侯。寺人披请见[2]。公使让之[3]，且辞焉[4]，曰："蒲城之役，君命一宿，女即至[5]。其后余从狄君以田渭滨，女为惠公来求杀余，命女三宿，女中宿至[6]。虽有君命，何其速也？夫祛犹在，女其行乎[7]！"对曰："臣谓君之入也，其知之矣。若犹未也，又将及难[8]。君命无二，古之制也[9]。除君之恶，唯力是视。蒲人、狄人，余何有焉[10]。今君即位，其无蒲、狄乎[11]？齐桓公置射钩而使管仲相[12]，君若易之，何辱命焉？行者甚众，岂唯刑臣[13]？"公见之，以难告[14]。

注释

[1]吕：吕饴甥。郤：郤芮。两人都是晋怀公的亲信。畏逼：担心受迫害。　[2]寺人披：晋宦官，曾经奉命追杀重耳。[3]让之：责备寺人披。　[4]辞：拒绝接见。　[5]"蒲城"句：是说当年打蒲城那仗，晋献公命令你过一宿到，你马上就到了。[6]"其后"句：是说后来我跟狄族的君长在渭水边打猎，你为晋惠公来杀我，命令你三个晚上到，你第二晚就到了。　[7]"夫祛(qū)"句：现在衣袖还在，你走吧。寺人披追杀重耳时曾斩下他的衣袖。[8]"臣谓"句：意思是我以为您回来之后能明白当初这些事情，要是还不明白，您又要遭殃了。　[9]"君命"句：意思是说，执行国君的命令没有二话，这是历来的制度。　[10]"除君"句：除掉国君厌恶的人，竭力完成任务。管他蒲人、狄人，跟我有什么关

系。　[11]“今君”句：现在您当了国君，难道没有像蒲人、狄人那样让您讨厌的人吗？　[12]“齐桓公”句：是说齐桓公不追究管仲射中他衣带钩的罪，反而让他辅佐自己。　[13]“君若”句：是说您要不能像齐桓公那样不计前嫌，用得着下令赶我走吗？要离开的人多的是，哪止我一个。刑臣，寺人披的自称。因为宦官受过宫刑。　[14]以难告：把吕饴甥等人的阴谋告诉晋文公。

三月，晋侯潜会秦伯于王城[1]。己丑晦[2]，公宫火[3]，瑕甥、郤芮不获公[4]，乃如河上[5]。秦伯诱而杀之。晋侯逆夫人嬴氏以归[6]。秦伯送卫于晋三千人[7]，实纪纲之仆[8]。

注释

[1]潜会：偷偷会见。王城：在今陕西大荔东。　[2]己丑：三月二十九。晦：每个月的最后一天。　[3]公宫：晋文公的宫殿。[4]瑕甥：即吕饴甥。　[5]如：到。　[6]嬴氏：秦穆公的女儿文嬴，嫁给晋文公。　[7]卫：护卫。　[8]实：充当。纪纲之仆：近卫侍从。

初，晋侯之竖头须[1]，守藏者也[2]。其出也，窃藏以逃，尽用以求纳之[3]。及入[4]，求见，公辞焉以沐[5]。谓仆人曰[6]：“沐则心覆，心覆则图反，宜吾不得见也[7]。居者为社稷之守，行者为羁绁之

仆，其亦可也，何必罪居者[8]？国君而仇匹夫，惧者甚众矣[9]。”仆人以告，公遽见之[10]。

注释

[1]竖：少年侍从。头须：人名。　[2]守藏者：负责看守库房的人。　[3]“其出”句：是说晋文公出逃的时候，头须偷了仓库里的财物跑了，现在又献出这些东西想让文公接纳他。[4]入：指文公回国。　[5]辞焉以沐：以正在洗头为借口拒绝接见。　[6]“谓仆人曰”以下几句都是头须说的话。　[7]“沐则”句：洗头时候心反压在身下，心颠倒了想法就错乱了，难怪我不能求见。　[8]“居者”句：留在国内的是国家的守卫，跟着流亡的是尽心效劳的仆人，这就行了，何必怪罪留在国内的人呢？　[9]“国君”句：是说要是国君仇视普通百姓，害怕的人就太多了。意思是民心就不稳了。　[10]遽（jù）见：马上召见。

狄人归季隗于晋而请其二子[1]。文公妻赵衰[2]，生原同、屏括、楼婴。赵姬请逆盾与其母[3]，子余辞[4]。姬曰：“得宠而忘旧，何以使人[5]？必逆之！”固请，许之。来[6]，以盾为才，固请于公以为嫡子[7]，而使其三子下之[8]，以叔隗为内子而己下之[9]。

注释

[1]请其二子：请示如何处理季隗的两个儿子。　[2]妻赵衰：把女儿嫁给赵衰。　[3]赵姬：即晋文公的女儿。逆：迎接。盾：

赵盾，是赵衰跟狄女叔隗生的儿子。　　[4] 子余：赵衰的字。
[5]“得宠”句：意思是得了新欢忘了旧爱，还怎么使唤别人呢？
[6] 来：接赵盾母子回来。　　[7] 嫡（dí）子：大公子，继承人。
[8] 使其三子下之：把自己三个孩子地位排在赵盾后面。
[9] 内子：正妻。

晋侯赏从亡者[1]，介之推不言禄，禄亦弗及[2]。推曰：“献公之子九人，唯君在矣[3]。惠、怀无亲，外内弃之。天未绝晋，必将有主[4]。主晋祀者[5]，非君而谁？天实置之，而二三子以为己力，不亦诬乎[6]？窃人之财，犹谓之盗，况贪天之功以为己力乎[7]？下义其罪，上赏其奸，上下相蒙，难与处矣[8]！”其母曰：“盍亦求之，以死，谁怼[9]？”对曰：“尤而效之，罪又甚焉。且出怨言，不食其食[10]。”其母曰：“亦使知之，若何[11]？”对曰：“言，身之文也。身将隐，焉用文之？是求显也[12]。”其母曰：“能如是乎[13]？与女偕隐[14]。”遂隐而死。晋侯求之，不获，以绵上为之田[15]，曰：“以志吾过，且旌善人[16]。”

（以上僖公二十四年）

注释

[1] 从亡者：跟着一起流亡的人。　　[2] 弗及：没给（介之推）。

[3]君：指晋文公。在：在世。　[4]“天未”句：意思是说，假如天不亡晋国，一定会给它安排一个好君主。　[5]主晋祀者：延续晋国香火的人。　[6]“天实”句：是说文公是上天安排的，那几个人却认为是自己的功劳，这不是骗人吗？　[7]“窃人”句：是说偷人东西尚且叫贼，何况贪污了上天的功劳作为自己的能耐。[8]“下义”句：是说臣下把罪过当成正义，君上奖赏坏事，上下互相蒙蔽，我很难跟他们相处了。　[9]“盍亦”句：干吗不请求封赏？就这样死了能怨谁？　[10]“尤而”句：知错犯错，罪过更大。而且我已经抱怨过，说过不吃他们的俸禄。　[11]“亦使”句：也该让他们知道你的想法，怎么样？　[12]“言，身”句：意思是说，言语是身上的文饰，我就要归隐了，还要文饰干吗？那是在希求名利。　[13]如是：这样。　[14]女：同“汝”，你。偕隐：一起归隐。　[15]以绵上为之田：把绵上追封给介之推。绵上，地名，在今山西介休东南。　[16]“以志”句：意思是以此铭记我的过错，并表彰好人。

文史链接

重耳就是春秋五霸里的晋文公。重耳出亡的年纪，照《左传》、《国语》的记载，是十七岁；而照《史记》的记载，却已经四十三岁了，早就过了油头粉面的年纪。说他流亡了十九年，其实头十二年是躲在母亲的娘家狄国，之后五年又在齐国享福，真正的“周游列国”是在之后的两三年。飘零多年才得以归国登基，这在春秋的君主里头称得上是个奇迹，因此《左传》花费了大量笔墨描写他的流亡生涯，记述了重耳从一个缺乏理想和远见的贵介公子成长为宽容果敢的英明君主的过程。

这段两千多字的“晋文公成长史”，不妨看做一篇准人物传记，其中一些写法特点，不断重现在历代传记作家的笔下。比如重视客观式的记录，偏重描写对话和行动，以此来展示人物性格的发展变化；主观的心理活动、精神状态则极少着笔。这也是中国史传文体的一个显著特征。

思考讨论

1. 利用春秋历史地图，画出重耳流亡的路线，在每个节点简单标注他的事迹，看看他是怎样一步步成长的。

2. 晋文公流亡十九年终成大业，如此大器晚成、王者归来的人物在中国历史上并不少见。你能举出几个类似的例子吗？

晋楚城濮之战

（僖公二十七、二十八年）

冬，楚子及诸侯围宋[1]，宋公孙固如晋告急[2]。先轸曰[3]："报施救患，取威定霸，于是乎在矣[4]。"狐偃曰："楚始得曹而新昏于卫[5]，若伐曹、卫，楚必救之，则齐、宋免矣[6]。"于是乎蒐于被庐[7]，作三军[8]。谋元帅[9]。赵衰曰："郤縠可[10]。臣亟闻其言矣，说礼乐而敦《诗》、《书》[11]。《诗》、《书》，义之府也；礼乐，德之则也；德义，利之本也[12]。《夏书》

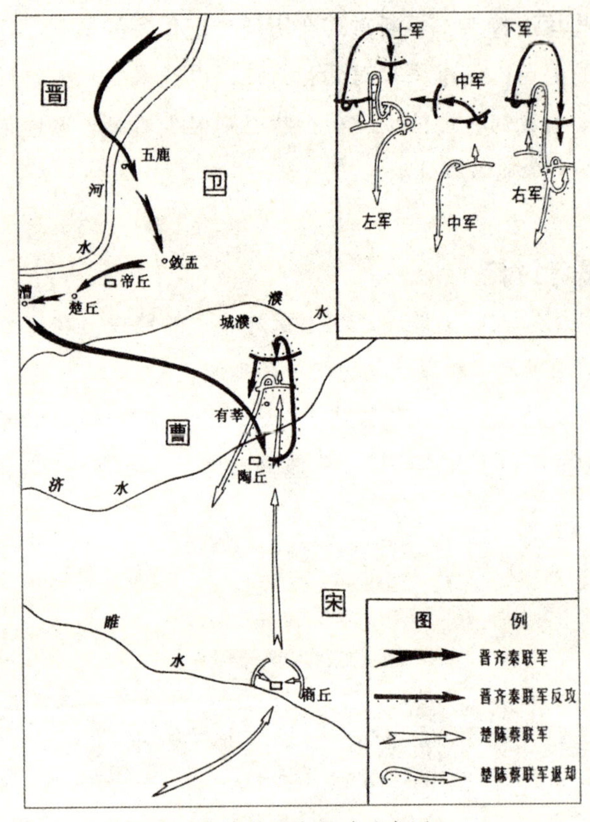

晋楚城濮之战经过示意图

曰[13]：‘赋纳以言，明试以功，车服以庸[14]。’君其试之。”及使郤縠将中军，郤溱佐之[15]；使狐偃将上军，让于狐毛[16]，而佐之；命赵衰为卿，让于栾枝[17]、先轸。使栾枝将下军[18]，先轸佐之。荀林父御戎[19]，魏犨为右[20]。

（以上僖公二十七年）

注释

[1]楚子：楚成王。 [2]公孙固：宋国大夫。 [3]先轸（zhěn）：晋国大夫。 [4]“报施”句：意思是说，报答宋国的恩惠，解救它的灾难，建立威信，取得霸权，就在此一举。 [5]得：征服。昏：同“婚”，联姻。 [6]免：解围。 [7]蒐（sōu）：阅兵。被庐：晋国地名。 [8]作三军：建立三军制度。晋国原有左、右两军。 [9]谋：挑选。 [10]郤縠（hú）：晋国大夫。不过他在城濮之战前去世，改由先轸作中军元帅。 [11]“臣亟”句：是说我多次跟他交谈，他爱好礼乐又崇尚《诗》、《书》。礼、乐、《诗》、《书》是春秋时期贵族的必修课。 [12]“《诗》、《书》”句：是说《诗经》、《尚书》是正义的源泉；礼乐是道德的准则；道德和正义，是胜利的根本。 [13]《夏书》：《尚书》的一部分。[14]“赋纳”句：是说使用人才，应该听取他的意见，给他施展的机会，奖励他的功劳。 [15]郤溱（zhēn）：晋国大夫。佐：辅佐，做副帅。 [16]狐毛：晋大夫，狐偃的哥哥。
[17]栾枝：晋大夫。 [18]将：指挥。 [19]荀林父：晋大夫。御戎：给晋文公驾车。 [20]右：车右，负责使戈。

晋侯围曹，门焉[1]，多死，曹人尸诸城上[2]，晋侯患之[3]。听舆人之谋[4]，称“舍于墓”[5]。师迁焉。曹人凶惧[6]，为其所得者棺而出之[7]。因其凶也而攻之[8]。三月丙午[9]，入曹。数之，以其不用僖负羁，而乘轩者三百人也[10]，且曰“献状[11]”。令无入僖负羁之宫[12]，而免其族[13]，报施也[14]。魏犫、颠颉

怒曰："劳之不图，报于何有[15]！"爇僖负羁氏[16]。魏犨伤于胸。公欲杀之，而爱其材。使问[17]，且视之[18]。病[19]，将杀之。魏犨束胸见使者曰："以君之灵，不有宁也[20]。"距跃三百[21]，曲踊三百[22]。乃舍之[23]。杀颠颉以徇于师[24]，立舟之侨以为戎右[25]。

注释

[1]门：攻城。　[2]尸诸城上：把晋军尸体摆在城头。[3]患：担心。　[4]舆人：军中仆役。　[5]称：声称。舍于墓：驻扎在曹人的祖坟中。意思是要刨曹人的祖坟。　[6]凶惧：恐惧。　[7]"为其"句：意思是把得到的晋军尸体装殓好送出城外。　[8]"因其"句：晋军趁着曹人恐慌攻城。　[9]丙午：三月初八。　[10]"数之"句：是指责曹共公滥封官爵。数之，责备曹共公。僖负羁，曹国大夫，晋文公逃难曹国时曾照顾文公。乘轩者，指大夫。　[11]献状：把大夫们的考核登记表交上来。[12]宫：住宅。　[13]免其族：赦免他的族人。　[14]报施：报答恩惠。　[15]"劳之"句：意思是我们千辛万苦都得不到报答，还谈什么报答！　[16]爇（ruò）：烧，纵火。　[17]使问：派人慰问。　[18]视：观察病情。　[19]病：伤情严重。[20]"以君"句：是说托主公的福，不碍事。　[21]距跃：向前跳。三百：虚数，表示跳了很多下。　[22]曲踊：向上跳。[23]舍：放过。　[24]徇（xùn）：示众。　[25]舟之侨：晋国大夫，他代替魏犨做晋文公的车右。

宋人使门尹般如晋师告急[1]。公曰："宋人告急，舍之则绝，告楚不许[2]。我欲战矣，齐、秦未可[3]，若之何？"先轸曰："使宋舍我而赂齐、秦，藉之告楚[4]。我执曹君，而分曹、卫之田以赐宋人。楚爱曹、卫[5]，必不许也[6]。喜赂怒顽，能无战乎[7]？"公说，执曹伯，分曹、卫之田以畀宋人[8]。

注释

[1]门尹：官职名。般：人名。　[2]"舍之"句：不援救，它就跟我国绝交，请求楚国退兵，楚国又不同意。　[3]未可：不支持。　[4]"使宋"句：让宋国不要找我们出面，让它去买通齐、秦，请他们说服楚国撤兵。　[5]爱：舍不得。　[6]不许：不答应（齐、秦的撤军请求）。　[7]"喜赂"句：意思是说，齐、秦得了宋国的贿赂很高兴，被楚国拒绝很生气，怎能不参战呢？　[8]畀（bì）：给。

楚子入居于申[1]，使申叔去穀[2]，使子玉去宋[3]，曰："无从晋师[4]。晋侯在外十九年矣，而果得晋国[5]。险阻艰难，备尝之矣；民之情伪，尽知之矣[6]。天假之年，而除其害[7]。天之所置，其可废乎[8]？《军志》曰[9]：'允当则归。'又曰：'知难而退。'又曰：'有德不可敌[10]。'此三志者，晋之谓矣。"子玉使

伯棼请战[11]，曰："非敢必有功也，愿以间执谗慝之口[12]。"王怒，少与之师，唯西广、东宫与若敖之六卒实从之[13]。

注释

[1]申：楚地名，在今河南南阳北。　[2]申叔：申的守将。去：离开。穀：齐国地名，今山东东阿南。　[3]子玉：即成得臣，楚国令尹。　[4]从：追击。　[5]果：结果。　[6]"险阻"句：是说晋文公受尽磨难，洞悉民情。　[7]"天假"句：是说上天要给他长寿，除掉敌人。　[8]"天之"句：是说上天安排的人选，我们岂能破坏他？　[9]《军志》：上古兵书，已失传。　[10]"允当"句：三句引文是说，在适当的时机撤退；遇到不可克服的困难就退兵；有德行的人不可与他为敌。　[11]伯棼（fén）：楚大夫。请战：向楚成王请求出战。　[12]"非敢"句：是说我不敢说此战一定能有什么功劳，只希望借此堵住那些说坏话的嘴。谗慝，搬弄是非。　[13]"王怒"句：是说楚成王很恼火，只给了子玉少数部队，楚王新兵中的右军、太子的部队以及子玉家族部队的兵车一百八十乘前去增援。

子玉使宛春告于晋师曰[1]："请复卫侯而封曹[2]，臣亦释宋之围[3]。"子犯曰："子玉无礼哉！君取一，臣取二，不可失矣[4]。"先轸曰："子与之[5]。定人之谓礼[6]。楚一言而定三国，我一言而亡之，我则无礼，何以战乎[7]？不许楚言，是弃宋也。救而弃之，谓诸侯何[8]？楚有三施[9]，我有三怨，怨仇已多[10]，将何以战？不如私许复曹、卫以携之，执宛春以怒楚，既战而后图之[11]。”公说，乃拘宛春于卫，且私许复曹、卫。曹、卫告绝于楚[12]。

注释

[1]宛春：楚大夫。　[2]复：复辟。封：退还领土。　[3]释：解围。　[4]“子玉”句：是说晋文公作为国君只得到解围宋国一个好处，子玉作为大臣却得到恢复卫君君位、光复曹国两个好处，不能便宜了他。　[5]与：答应。　[6]定人之谓礼：使别人安定叫做礼。　[7]“楚一言”句：楚国一句话就安定了三个国家，我们一句话就亡了他们，我们无礼了，还靠什么打仗？　[8]“救而”句：我们本来是来援救宋国的，现在反而背弃他们，怎么向诸侯交代？　[9]三施：对三个国家有恩惠。　[10]已：太。　[11]“不如”句：是说不如私下答应恢复曹、卫以离间他们和楚国的关系，拘禁宛春以激怒楚国，其他开战之后再计议。携，离间。　[12]告绝：宣告绝交。

子玉怒，从晋师[1]。晋师退。军吏曰：“以君辟臣[2]，辱也；且楚师老矣[3]，何故退？”子犯曰：“师直为壮，曲为老，岂在久乎[4]？微楚之惠不及此[5]，退三舍辟之[6]，所以报也[7]。背惠食言，以亢其仇，我曲楚直[8]。其众素饱，不可谓老[9]。我退而楚还，我将何求？若其不还，君退臣犯，曲在彼矣[10]。”退三舍。楚众欲止，子玉不可。

注释

[1]从：进逼。　[2]辟：同“避”，回避。　[3]老：士气衰弱。　[4]“师直”句：意思是说，军队师出有名叫做壮，师出无名叫做老，不在于行军长短。　[5]“微楚”句：意思是没有楚国当年的恩惠我们就没有今天。　[6]三舍：九十里，是三天行军的距离。　[7]报：报答。　[8]“背惠”句：意思是如果忘恩负义不守诺言跟他作对，我们理亏，楚国理直。[9]“其众”句：是说他们的士兵向来士气高昂，不能算低落。[10]“我退”句：要是我军退兵之后楚军就撤离，我们还有什么要求？要是他们不撤，就是国君退让而臣下进犯，过错就在他们那边了。

夏四月戊辰[1]，晋侯、宋公、齐国归父、崔夭、秦小子慭次于城濮[2]。楚师背酅而舍[3]，晋侯患之[4]。听舆人之诵曰：“原田每每，舍其旧而新是谋[5]。”公疑焉。子犯曰：“战也！战而捷，必得诸侯[6]。若其不捷，表里山河，必无害也[7]。”公曰：“若楚惠何[8]？”栾贞子曰[9]：“汉阳诸姬，楚实尽之[10]。思小惠而忘大耻，不如战也。”

注释

[1]戊辰：四月初一。 [2]宋公：宋成公。国归父、崔夭：齐国大夫。小子慭（yìn）：秦穆公的儿子。次：驻扎。城濮：卫国地名，在今山东范县。 [3]酅（xī）：险峻的山陵。舍：驻扎。 [4]患：担心。 [5]“原田”句：是说休耕地里草青青，不种旧田种新田。意思要及时击败楚国，建立新功。 [6]得诸侯：得到诸侯拥戴。 [7]“若其”句：是说万一输了，晋国外有黄河天险，内有崇山屏障，一定不会遭殃。 [8]若楚惠何：楚国对我的恩惠怎么办？ [9]栾贞子：即栾枝。 [10]“汉阳”句：是说汉水北边的大批姬姓诸侯国，都被楚国灭掉了。晋国也是姬姓，跟这些国家同宗，所以这样说。

晋侯梦与楚子搏[1]，楚子伏己而盬其脑[2]，是以惧。子犯曰：“吉。我得天，楚伏其罪，吾且柔之矣[3]。”

注释

[1]搏：格斗。 [2]伏己：趴在自己身上。盬（gǔ）其脑：吸自己的脑浆。 [3]“我得”句：意思是我面朝天，是得到上天庇佑；楚面朝地，是服输认罪，我们将平定他们了。

子玉使斗勃请战[1]，曰：“请与君之士戏，君冯轼而观之，得臣与寓目焉[2]。”晋侯使栾枝对曰：“寡君闻命矣[3]。楚君之惠未之敢忘，是以在此[4]。为大夫退，其敢当君乎[5]？既不获命矣，敢烦大夫

谓二三子，戒尔车乘，敬尔君事，诘朝将见[6]。”

注释

[1]斗勃：楚大夫。　[2]“请与”句：意思是说，请允许跟您的士兵们角逐一番，您靠在车上观战，我也一块开开眼界。得臣，子玉的名字。　[3]闻命：听到指示。　[4]“楚君”句：是说楚王的恩惠我们不敢忘怀，所以退到这里。　[5]“为大夫”句：意思是我以为大夫您已经退兵了，可不敢挡您的路。为，同“谓”，以为。　[6]“既不”句：既然您不撤退，那么请您告诉你们的人，准备好战车，慎重对待国家的使命，明天早上见。

晋车七百乘，韅、靷、鞅、靽[1]。晋侯登有莘之虚以观师[2]，曰：“少长有礼，其可用也[3]。”遂伐其木以益其兵[4]。己巳[5]，晋师陈于莘北[6]，胥臣以下军之佐当陈、蔡[7]。子玉以若敖六卒将中军[8]，曰：“今日必无晋矣[9]。”子西将左[10]，子上将右[11]。胥臣蒙马以虎皮，先犯陈、蔡[12]。陈、蔡奔，楚右师溃。狐毛设二旆而退之[13]。栾枝使舆曳柴而伪遁，楚师驰之[14]。原轸、郤溱以中军公族横击之[15]。狐毛、狐偃以上军夹攻子西，楚左师溃。楚师败绩。子玉收其卒而止[16]，故不败。

注释

[1] 韅(xiǎn):马腋下的皮带。靷(yǐn):引车前行的皮带。鞅:马颈下的皮带。靽(bàn):马后部的皮带。这是形容晋军军容整齐。 [2] 有莘(shēn)之虚:古国莘的遗址。 [3]“少长”句:是说我军秩序井然,可以用兵了。 [4]“遂伐”句:是说砍伐树木充实军备。 [5] 己巳:四月初二。 [6] 莘北:有莘国遗址的北边。 [7] 胥臣:晋大夫。佐:副将。当:抵御。 [8] 以:率领。将:指挥。 [9]“今日”句:意思是说,今天一定消灭晋军。 [10] 子西:楚国司马斗宜申。左:左军。 [11] 子上:斗勃的字。右:右军。 [12]“胥臣”句:意思是胥臣给马蒙上虎皮,率先进攻陈、蔡军队。 [13] 旆(pèi):旌旗,一说这里指晋的前军。退:退兵。 [14]“栾枝”句:是说栾枝让兵车后面拖上树枝,扬起大量灰尘,假装溃逃,楚军快速追击。 [15] 原轸:即先轸。公族:晋文公的亲兵。横击:拦腰截击。 [16] 收其卒而止:收束部队停止进攻。

晋师三日馆穀[1],及癸酉而还[2]。甲午[3],至于衡雍[4],作王宫于践土[5]。

注释

[1] 馆穀:住在楚国军营吃楚军遗弃的军粮。 [2] 癸酉:四月初六。 [3] 甲午:四月二十七日。 [4] 衡雍:郑国地名,在今河南原阳西。 [5] 王宫:诸侯朝见周王的一种建筑。践土:郑国地名,在今河南原阳西南。

……

初，楚子玉自为琼弁玉缨[1]，未之服也[2]。先战[3]，梦河神谓己曰："畀余，余赐女孟诸之麋[4]。"弗致也[5]。大心与子西使荣黄谏[6]，弗听。荣季曰："死而利国，犹或为之，况琼玉乎？是粪土也，而可以济师，将何爱焉[7]？"弗听。出，告二子曰："非神败令尹，令尹其不勤民，实自败也[8]。"既败[9]，王使谓之曰[10]："大夫若入，其若申、息之老何[11]？"子西、孙伯曰[12]："得臣将死，二臣止之曰：'君其将以为戮[13]。'"及连穀而死[14]。晋侯闻之而后喜可知也[15]，曰："莫余毒也已！蒍吕臣实为令尹，奉己而已，不在民矣[16]。"

（以上僖公二十八年）

注释

[1] 琼弁（biàn）：镶红色玉石的马头饰品。玉缨：马颈下的玉石饰品。 [2] 未之服：还没装上。 [3] 先战：城濮战前。[4] 孟诸之麋：孟诸沼泽的水草地。河神的意思是，你把玉饰献给我，我保佑你打胜仗。 [5] 弗致：没有奉献。 [6] 大心：子玉的儿子。荣黄：楚大臣，又叫荣季。谏：劝子玉把玉献给河神。[7]"死而"句：死了能造福国家，尚且有人愿意献身，何况宝玉呢？这些烂泥一样的破烂，捐出去可以帮助打胜仗，有什么好吝惜的？[8]"非神"句：是说不是河神让令尹失败，是令尹不尽力于百姓，

自取灭亡啊。　[9]既败：城濮战败之后。　[10]使：派使者。之：指子玉。　[11]“大夫”句：您要是回国了，怎么面对申地、息地的父老呢？申、息两地很多人参加了城濮之战，所以这样说。[12]孙伯：即成大心。　[13]“得臣”句：是说子王曾经想自杀，我俩制止他说：“楚王要亲自惩处你。”　[14]连穀：楚地名。子玉在此自杀。　[15]“晋侯”句：意思是晋文公听说子玉自杀之后喜形于色。　[16]“莫余”句：是说没人妨碍我了！蒍（wěi）吕臣将做令尹，他只知道保全自己，不会考虑百姓了。

文史链接

城濮之战，对晋文公来讲，是他树立威信、确定霸权的决定性战役；对整个春秋历史来讲，则是挽救周王朝和中原诸侯不被南方的“蛮夷”楚国吞并掉的关键战役。其历史意义至关重大，《左传》的作者高瞻远瞩地从战略高度叙写了这场决定历史走向的大战。

在外交上，晋国离间了楚国的盟友曹国和卫国，拉拢了东、西两个强国齐国和秦国出兵相助；在战场上，晋军灵活运用避实击虚、伪装突击、诈败诱敌、两面夹攻、各个击破等战术，像一套组合拳，打得楚军溃不成军。这些打法给死守三军依次对战的诸侯们上了一堂生动的战术课。其中的点睛之笔当然是“退避三舍”。这一撤退，既报答了楚王当年的恩惠，又争取了政治上的主动，激发士气，还诱敌深入，以逸待劳。一举数得，值得大书特书。

思考讨论

1. 请从战略和战术两个层面说说晋国获胜的原因。

2. 本文虽以叙事为主，但也兼顾人物形象的刻画。请选择一个你最感兴趣的人物作分析。

烛之武退秦师

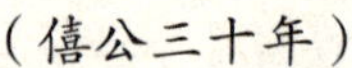

（僖公三十年）

九月甲午[1]，晋侯、秦伯围郑[2]，以其无礼于晋[3]，且贰于楚也[4]。晋军函陵[5]，秦军氾南[6]。

注释

[1]甲午：九月初十。 [2]晋侯：晋文公。秦伯：秦穆公。[3]无礼于晋：指郑文公当年没有礼待流亡的重耳。 [4]贰于楚：勾结楚国。 [5]军：驻扎。函陵：地名，今河南新郑北。[6]氾（fàn）南：氾水南岸，今河南中牟境内。

佚之狐言于郑伯曰[1]："国危矣，若使烛之武见秦君[2]，师必退。"公从之。辞曰[3]："臣之壮也，犹不如人，今老矣，无能为也已[4]。"公曰："吾不能早用子，今急而求子，是寡人之过也。然郑亡，子亦有不利焉[5]。"许之。

注释

[1]佚之狐：郑国大夫。郑伯：郑文公。 [2]烛之武：郑国大夫。 [3]辞：推辞。 [4]"臣之"句：烛之武的意思是，我年富力强的时候尚且不如别人，现在老了，什么都做不了了。[5]"吾不能"句：郑公的意思是，我不能早点任用您，现在火烧

眼眉才来求您，这是我的过错。可要是郑国灭亡了，对您也没好处啊。

夜缒而出[1]，见秦伯，曰："秦、晋围郑，郑既知亡矣[2]。若亡郑而有益于君，敢以烦执事[3]。越国以鄙远，君知其难也，焉用亡郑以陪邻[4]？邻之厚，君之薄也[5]。若舍郑以为东道主，行李之往来，共其乏困，君亦无所害[6]。且君尝为晋君赐矣，许君焦、瑕，朝济而夕设版焉，君之所知也[7]。夫晋，何厌之有？既东封郑，又欲肆其西封，若不阙秦，将焉取之[8]？阙秦以利晋，唯君图之[9]。"秦伯说，与郑人盟，使杞子、逢孙、扬孙戍之[10]，乃还[11]。

注释

[1]缒（zhuì）：用绳子吊下去。　[2]既知亡矣：已经知道要亡国了。　[3]"若亡"句：假如郑国灭亡有益于您，哪里要劳烦您底下人。意思是有益秦国的话郑国会投降。　[4]"越国"句：意思是说，越过邻国去占领别国的土地，您知道难度很大，那又何必亡了郑国来增加旁边晋国的土地呢？　[5]"邻之厚"句：意思是说，邻国扩张了，您就等于削弱了。　[6]"若舍郑"句：意思是说，如果放过郑国，让它做秦国东方路上的主人，给来往使者提供补给休息，对您也没坏处。　[7]"且君"句：是说况且您曾经有恩于晋君（晋惠公），他答应给您焦、瑕两个地方，结果

早上渡过黄河回国，晚上就筑城防备，这都是您知道的。　[8]“夫晋”句：那晋国哪有满足的时候？已经往东吞并了郑，一定想着往西扩张，如果不损害秦国，它要的土地将从哪里得来啊？　[9]“阙秦”句：意思是损害秦国却让晋国得好处，您好好想想吧。

[10]杞（qǐ）子、逢孙、扬孙：都是秦国大夫。戍之：守卫郑国。

[11]还：退兵。

子犯请击之[1]，公曰："不可。微夫人力不及此[2]。因人之力而敝之，不仁；失其所与，不知；以乱易整，不武[3]。吾其还也[4]。"亦去之。

注释

[1]击之：攻打秦军。　[2]“微夫人”句：意思是没有秦人的帮助我不能当上国君。　[3]“因人”句：是说借助别人的力量却打败他，是不仁；失去盟友，是不明智；用分裂代替合作，是不勇武。　[4]吾其还也：我们还是回去吧。

文史链接

郑国自从郑庄公死后，国势日下。更不幸的是，郑国位于中原的中心区域，北边的晋国和南边的楚国一动手较量，它总是被强邻的战车一次次地碾压。因为两头受气，郑国人练就了圆滑的夹缝生存技巧，诞生了许多出色的外交人才，这一节的烛之武，后面“殽之战”的弦高，还有孔子很钦佩的名相子产，都是其中的佼佼者。

烛之武劝秦国退兵，运用的就是现在的“地缘政治”理论。

郑国紧挨着晋国，跟秦国却隔了一千多里地，即使郑国亡了，土地只会就近被晋国吞并，轮不到做秦国的飞地。秦穆公恍然大悟，于是反过来跟郑国结盟防御晋国。不过两年后他还是头脑发热来了一次全军覆没的远征。

思考讨论

1. 烛之武要挽救郑国的危亡，言辞中却一直在为秦国的利益着想。你能归纳出烛之武说辞的要点吗？

2. 烛之武为何选择秦国而不是晋国作为谈判对象？

秦晋殽之战

（僖公三十二、三十三年）

冬，晋文公卒。庚辰[1]，将殡于曲沃[2]，出绛[3]，柩有声如牛。卜偃使大夫拜[4]，曰："君命大事[5]。将有西师过轶我[6]，击之，必大捷焉。"

注释

[1]庚辰：十二月十日。 [2]曲沃：晋国旧都，在今山西闻喜。 [3]绛：晋国国都，在今山西翼城。 [4]卜偃：晋国负责占卜的官员。 [5]君：指晋文公。大事：指战事。 [6]西师：西边的军队，暗指秦军。过轶：穿过，越过。我：指晋国国境。

杞子自郑使告于秦[1]，曰："郑人使我掌其北门之管[2]，若潜师以来[3]，国可得也[4]。"穆公访诸蹇叔[5]，蹇叔曰："劳师以袭远，非所闻也[6]。师劳力竭，远主备之，无乃不可乎[7]！师之所为，郑必知之；勤而无所，必有悖心[8]。且行千里，其谁不知[9]？"公辞焉[10]。召孟明、西乞、白乙[11]，使出师于东门之外[12]。蹇叔哭之，曰："孟子[13]，吾见师之出而不见其入也。"公使谓之曰[14]："尔何知？中寿，尔墓之木拱矣[15]。"蹇叔之子与师[16]，哭而送之，曰："晋人御师必于殽[17]。殽有二陵焉：其南陵，夏后皋之墓也；其北陵，文王之所辟风雨也[18]。必死是间，余收尔骨焉[19]。"秦师遂东[20]。

（以上僖公三十二年）

注释

[1] 杞子：秦国大夫，正在帮郑国看守北门。 [2] 管：钥匙。 [3] 潜师：暗中派兵。 [4] 国可得：可以占领郑国。 [5] 访：咨询。蹇（jiǎn）叔：秦国老臣。 [6]"劳师"句：是说劳师远征的事情，我从没听说。 [7]"师劳"句：是说军队疲乏了，远方的敌人又有防备，恐怕没有把握吧。 [8]"师之"句：是说我军的行动郑国必定知道，劳而无功，士兵一定有怨恨之心。[9]"且行"句：况且千里行军，谁不知道？ [10] 辞：不接受。

[11] 孟明、西乞、白乙：三人都是秦国将领。 [12] 东门：秦都雍城的东门。 [13] 孟子：指孟明。 [14] 使：派人。 [15] “尔何知”句：你懂什么？老不死的，你坟头上的树早已经一抱粗了。意思是还不去死。中（zhōng）寿，活够了。拱，合手指掌合围的尺寸。 [16] 与师：参加军队。 [17] “晋人”句：是说晋人一定会在殽山阻击我们。殽，晋国山名，在今河南洛宁北。 [18] “殽有”句：是说殽有南北两座山，南山是夏王皋的墓地，北山是周文王曾经躲避风雨的地方。陵，山丘。 [19] “必死”句：是说你一定死在那里，我要去那里收拾你的遗骸。 [20] 东：向东出发。

三十三年春，秦师过周北门[1]，左右免胄而下[2]，超乘者三百乘[3]。王孙满尚幼[4]，观之，言于王曰[5]：“秦师轻而无礼[6]，必败。轻则寡谋，无礼则脱[7]。入险而脱，又不能谋，能无败乎[8]？”及滑[9]，郑商人弦高将市于周[10]，遇之。以乘韦先[11]，牛十二犒师[12]，曰：“寡君闻吾子将步师出于敝邑，敢犒从者[13]。不腆敝邑，为从者之淹，居则具一日之积，行则备一夕之卫[14]。”且使遽告于郑[15]。

注释

[1] 周：指周王朝的首都洛阳。 [2] 左右：指秦兵车上的车左和车右。免胄（zhòu）：脱下头盔。下：下车。下车跑步前进、

脱掉头盔，还有收起武器，这些都是向周天子致敬的礼节。[3]超乘：从车后直接跳上车。这是失礼的举动。[4]王孙满：周大夫，周襄王的孙子。[5]王：周襄王。[6]轻：轻率。[7]“轻则”句：是说轻率就不会深谋远虑，不守礼法就不会军纪严明。[8]“入险”句：进入危险的地方而不守纪律，又没有智谋，能不失败吗？[9]滑：国名，在今河南偃师南。[10]市：做买卖。[11]乘（shèng）韦：四张熟牛皮。先：作为较轻的礼物。[12]犒（kào）师：犒劳秦军。[13]“寡君”句：是说我们国君听说您率军前往敝国，特地让我来犒劳贵军。寡君，指郑穆公。吾子，对孟明视的敬称。[14]“不腆”句：敝国虽然不富裕，可为了贵军的长期停留，住下就提供每天的粮食，离开就提供每晚的警卫。[15]“且使”句：是说弦高立刻派人飞车报告郑穆公。

郑穆公使视客馆[1]，则束载、厉兵、秣马矣[2]。使皇武子辞焉[3]，曰：“吾子淹久于敝邑，唯是脯资饩牵竭矣[4]。为吾子之将行也，郑之有原圃，犹秦之有具囿也，吾子取其麋鹿以闲敝邑，若何[5]？”杞子奔齐，逢孙、扬孙奔宋。孟明曰：“郑有备矣，不可冀也[6]。攻之不克，围之不继，吾其还也[7]。”灭滑而还。

注释

[1]客馆：指秦人杞子等居住的旅馆。[2]束载：捆好行李。

厉兵：磨好兵器。秣（mò）马：喂饱战马。　　[3]皇武子：郑国大夫。辞：道歉。　　[4]"吾子"句：是说各位久居敝国，吃的东西都没了。　　[5]"为吾子"句：是说各位就要离开了，郑国有个猎场叫原圃，好比秦国的具囿（yòu），各位到那里打些麋鹿，好让敝国安宁一些。实际上是驱逐他们离境。　　[6]冀：指望。　　[7]"攻之"句：是说郑国攻又攻不下，围城又没有后援，我们还是撤军吧。

……

晋原轸曰[1]："秦违蹇叔，而以贪勤民，天奉我也[2]。奉不可失，敌不可纵。纵敌患生，违天不祥。必伐秦师[3]。"栾枝曰[4]："未报秦施而伐其师，其为死君乎[5]？"先轸曰："秦不哀吾丧而伐吾同姓，秦则无礼，何施之为[6]？吾闻之：'一日纵敌，数世之患也[7]。'谋及子孙，可谓死君乎[8]？"遂发命，遽兴姜戎[9]。子墨衰绖[10]，梁弘御戎，莱驹为右[11]。

注释

[1]原轸：即先轸，晋国中军元帅。　　[2]"秦违"句：意思是说，秦穆公不听蹇叔的话，因为贪心而驱使民众，这是天赐良机啊。　　[3]"奉不"句：良机不可丧失，敌人不可纵容。纵容敌人会招致祸患，违背天意不吉利。一定要讨伐秦军。

[4]栾枝：晋大夫。　　[5]"未报"句：是说还没报答秦国却攻

击它的军队，心里还有死去的晋文公吗？　[6]“秦不”句：秦国不哀悼我们的国丧却讨伐我们的同宗郑国，秦国就是无礼，还谈什么恩惠？　[7]“一日”句：是说一天放纵敌人，几辈子受害。　[8]“谋及”句：为子孙后代着想，对得起死去的国君了吗？　[9]“遂发”句：是说于是下令立刻调动姜戎人马。姜戎：戎族的一支。　[10]子：指晋襄公，因为这时他还没有正式登基，只能称“子”。墨衰绖：把丧服染黑。当时丧服是白色的，军装是黑色的，晋襄公在守丧期间出征，所以特地染黑了丧服。
[11]梁弘、莱驹：都是晋大夫。御戎：给晋襄公驾车。

夏四月辛巳[1]，败秦师于殽，获百里孟明视、西乞术、白乙丙以归[2]。遂墨以葬文公，晋于是始墨[3]。

注释

[1]辛巳：十三日。　[2]百里孟明视、西乞术、白乙丙：前文的秦将孟明、西乞、白乙。　[3]“遂墨”句：是说于是穿着黑色丧服埋葬了晋文公，晋国从此开始把黑色作为丧服颜色。

文嬴请三帅[1]，曰：“彼实构吾二君，寡君若得而食之，不厌，君何辱讨焉[2]！使归就戮于秦，以逞寡君之志[3]，若何？”公许之。先轸朝[4]，问秦囚[5]。公曰：“夫人请之，吾舍之矣[6]。”先轸怒曰：

“武夫力而拘诸原，妇人暂而免诸国[7]。堕军实而长寇仇，亡无日矣[8]！”不顾而唾[9]。公使阳处父追之[10]，及诸河[11]，则在舟中矣。释左骖，以公命赠孟明[12]。孟明稽首曰：“君之惠，不以累臣衅鼓，使归就戮于秦[13]。寡君之以为戮，死且不朽[14]。若从君惠而免之，三年将拜君赐[15]。”

注释

[1]文嬴：晋襄公的母亲，秦穆公的女儿。请：请求释放。[2]“彼实”句：正是他们挑起两国国君的冲突，秦穆公要是能抓到他们，吃了还不解恨，何必劳烦你处罚他们呢？ [3]“使归”句：是说放他们回去秦国受死，让秦穆公痛快一下。 [4]朝：上朝。 [5]秦囚：指孟明视等三人。 [6]舍：释放。 [7]“武夫”句：是说兵士们奋勇从战场上抓回来，那女人一糊弄就放回国。[8]“堕军”句：是说挫折自己军心，助长敌人志气，离亡国不远了！[9]顾：回头。这是说先轸当晋襄公面吐了口唾沫泄愤。[10]阳处父：晋大夫。 [11]及：追上。 [12]“释左”句：是说解下左边的马，假托晋襄公的命令送给孟明。这是想骗他们上岸。骖(cān)，驾车的四匹马中靠边的两匹。 [13]“君之惠”句：承蒙贵国恩典，不把我们几个俘虏杀掉做祭品，让我们回秦国受死。[14]“寡君”句：是说要是被我国君正法，死了也永垂不朽。[15]“若从”句：是说如果我国君开恩赦免了我们，三年后必将回来拜谢贵国的恩典。意思是要来兴兵报仇。

秦伯素服郊次，乡师而哭[1]，曰："孤违蹇叔以辱二三子[2]，孤之罪也。"不替孟明[3]，曰："孤之过也，大夫何罪？且吾不以一眚掩大德[4]。"

（以上僖公三十三年）

注释

[1]"秦伯"句：意思是说，秦穆公穿着丧服来到郊外，对着回来的残兵大哭。乡，同"向"。　[2]孤：国君的谦称。辱二三子：让你们蒙受耻辱。　[3]替：撤换，革职。　[4]"且吾"句：意思是我不会因为别人的一点过失就埋没他的才能。眚（shěng），过失。

文史链接

殽之战是春秋最著名的一场伏击战，交战双方是"睦邻友好"了多年的晋国和秦国。

秦穆公想趁晋文公刚刚去世，把两年前留下来帮郑国守卫的那队人马改制成内应，配合远征军偷袭灭掉郑国，从而千里跃进中原，抢夺霸主地位。在当时的后勤和保密能力下，这明摆着是"不可能完成的任务"。事与愿违的结果是远征军全军覆没，做了秦穆公万丈雄心的陪葬。

这一战，稳固了晋国的霸业，中止了秦国染指中原的念头，揭开了后二十年秦晋之间拉锯战的帷幕。就个人而言，成全了爱国商人弦高的英名，见证了蹇叔的远见、王孙满的早慧、先轸的火爆、阳处父的机变。

这一战也是"五大战役"里战场描写着墨最少的一次，只有区区一句话。

思考讨论

1. 本文中记载了不少性格鲜明、栩栩如生的人物，请谈谈你对秦老臣蹇叔与晋重臣先轸的印象。

2. 本文在弦高犒师、皇武子辞师、孟明谢赐三段情节中，都分别有精彩的辞令描写。三个人身份、处境各不相同，你能说说他们各自对答的特点吗？

第四章　宣　公

宋国的败将华元

（宣公二年）

二年春，郑公子归生命于楚[1]，伐宋。宋华元、乐吕御之[2]。

注释

[1] 公子归生：郑国大夫。命于楚：受楚国指使。　　[2] 华元、乐吕：都是宋国大夫。御：抵挡。

二月壬子[1]，战于大棘[2]。宋师败绩。囚华元，获乐吕[3]，及甲车四百六十乘[4]，俘二百五十人，馘百人[5]。狂狡辂郑人，郑人入于井[6]。倒戟而出之，获狂狡[7]。君子曰："失礼违命，宜其为禽也[8]。戎，昭果毅以听之之谓礼[9]。杀敌为果，致果为毅[10]。易之，戮也[11]。"

注释

[1]二月壬子：应该是正月壬子，即正月二十三日。[2]大棘：宋国地名，在今河南睢县南。[3]获：击毙之后夺得尸首。[4]甲车：兵车。[5]馘（guó）：杀掉敌人后割下左耳报功。[6]“狂狡”句：是说狂狡追赶郑兵，郑兵逃进井里了。狂狡，宋国大夫。[7]“倒戟”句：是说狂狡把戟倒过来伸进井里拉出郑兵，结果反而被郑兵俘虏。[8]“失礼”句：是说不守礼法违背军令，难怪被俘。[9]“戎，昭”句：是说在战斗中，表现勇敢刚强听从命令叫做礼。[10]“杀敌”句：是说杀敌叫做勇敢，做到勇敢才算刚毅。[11]“易之”句：是说颠倒过来就会受到惩罚。

将战，华元杀羊食士，其御羊斟不与[1]。及战[2]，曰：“畴昔之羊，子为政；今日之事，我为政[3]。”与入郑师，故败[4]。君子谓羊斟“非人也，以其私憾，败国殄民，于是刑孰大焉[5]？《诗》所谓‘人之无良’者，其羊斟之谓乎[6]！残民以逞[7]”。

注释

[1]“将战”句：是说战前，华元杀羊慰劳士兵，他的御手羊斟没份参加。[2]及战：到了交锋时候。[3]“畴昔”句：是说昨天的羊是你做主，今天的事由我做主。[4]“与入”句：是说驱车直奔郑军，因此宋军失败了。[5]“君子”句：君子认为羊斟不像个人，因为个人的怨恨，祸国殃民，还有比这该受更重的刑罚的吗？[6]“《诗》所谓”句：是说《诗经》所谓“人

群中的败类”，说的就是羊斟这种人吧！　[7] 残民以逞：伤害百姓以求自己高兴。

宋人以兵车百乘、文马百驷以赎华元于郑[1]。半入[2]，华元逃归。立于门外，告而入[3]。见叔牂[4]，曰：“子之马然也[5]？”对曰：“非马也，其人也[6]。”既合而来奔[7]。

注释

[1] 文马：毛色有文采的马。百驷：四百匹。　[2] 半入：赎身的东西送了一半。　[3]“立于”句：是说华元站在城门外，报告守城人之后才入城。　[4] 叔牂（zāng）：即羊斟。　[5]“子之”句：意思是当时你驾车冲进郑军，是你的马失控了吧？华元故意给羊斟台阶下。　[6]“非马”句：是说不是马的问题，是我的问题。　[7] 既合而来奔：羊斟回答之后就逃到了鲁国。

宋城[1]，华元为植[2]，巡功[3]。城者讴曰[4]：“睅其目，皤其腹，弃甲而复。于思于思，弃甲复来[5]。”使其骖乘谓之曰[6]：“牛则有皮，犀兕尚多，弃甲则那[7]？”役人曰[8]：“从其有皮，丹漆若何[9]？”华元曰：“去之！夫其口众我寡[10]。”

注释

[1]城：筑城。　[2]植：工程的主持人。　[3]巡功：巡视检查工作。　[4]城者：筑城的人。讴：歌唱。　[5]“睅其”句：意思是眼睛瞪得圆，肚子腆得高，丢盔弃甲逃回来，大胡子啊大胡子，丢盔弃甲跑回来。　[6]骖乘：即车右。
[7]“牛则”句：是说有牛就有皮，犀牛走满地，丢件盔甲没关系。牛皮、犀牛皮都是做铠甲的材料。　[8]役人：筑城的人。
[9]“从其”句：是说纵使有皮，哪找红漆？当时的皮甲上要涂红漆。
[10]“去之”句：走吧！他们嘴巴多我们少。意思是说不过他们。

文史链接

华元是宋国的执政，相当于首相。这位首相大人在这一段的演出实在糟糕：因为战前没给自己的御手分羊肉，一开战御手就直接把他送进了对方的“战俘营”；赎身回国去巡视工地，居然又为这事被“民工”嘲笑。真是窝囊到家了。然而《左传》与其说在挖苦华元，不如说在批判御手的狭隘，表彰华元的宽容——他逃回国后替御手开脱的对话可见一斑。

华元并非一个尸位素餐的庸人，多年以后，他做了两件了不起的大事，一是孤身潜入楚令尹子反的营帐，登上他的卧榻，胁持他讲和退兵；一是推动国际和平运动，促使晋、楚两个“超级大国”第一次缔结和约，给动荡的中原点燃了短暂而温暖的和平之光。华元可谓智勇双全。

可见，忍辱负重从来都是成就大事业的必备素质。

思考讨论

1. 结合本文与《史记·宋微子世家》中对华元的描写，你认为华元是怎样一个人？

2. 像华元这样甘受屈辱，最终成就大事的历史人物还有很多，你能举出几个例子吗？

昏君晋灵公

（宣公二年）

晋灵公不君[1]：厚敛以雕墙[2]；从台上弹人，而观其辟丸也[3]；宰夫胹熊蹯不熟[4]，杀之，置诸畚[5]，使妇人载以过朝[6]。赵盾、士季见其手[7]，问其故，而患之。

注释

[1]不君：指举止不像君主。　[2]“厚敛”句：是说收重税来装饰宫墙。　[3]“从台”句：是说从高台上用弹弓射人，观赏他们到处躲避的狼狈样。　[4]宰夫：厨师。胹（ér）：烹煮。熊蹯（fán）：熊掌。　[5]置诸畚（běn）：（把厨师尸体）装在簸箕里。　[6]朝：朝堂。　[7]赵盾：晋国的卿。士季：即士会，晋大夫。

将谏，士季曰：“谏而不入，则莫之继也[1]。会请先，不入，则子继之[2]。”三进[3]，及溜[4]，而后视之[5]，曰：“吾知所过矣，将改之[6]。”稽首而对曰：“人谁无过，过而能改，善莫大焉！《诗》曰：‘靡不有初，鲜克有终[7]。’夫如是，则能补过者鲜矣[8]。君能有终，则社稷之固也，岂惟群臣赖之[9]。又曰：‘衮职有阙，惟仲山甫补之[10]。’能补过也。君能补过，衮不废矣[11]。”犹不改。

注释

[1]“谏而”句：是说万一一起劝阻无效，就没人能去劝了。[2]“会请”句：意思是我先去提意见，君主不听的话，您再继续。因为赵盾地位最高，所以让他最后说。入，接受。　[3]三进：过了三排房子。　[4]溜：屋檐下。　[5]视之：指晋灵公瞧了士会一眼。　[6]“吾知”句：意思是说，我知道哪儿错了，我会改的。　[7]“靡不”句：诗出自《诗经·大雅·荡》，意思是凡事有开头，但很少能坚持到最终。　[8]“夫如”句：是说如果真像诗里说的那样，那么能改正错误的人就少见了。[9]“君能”句：是说您能坚持到底，那是国家的福气，不止大臣们有指望啊。　[10]“衮（gǔn）职”句：诗出自《诗经·大雅·烝民》，意思是国君失职，仲山甫就来弥补。仲山甫是周宣王的卿。衮，天子的礼服，借指天子的职责。　[11]废：荒废。

宣子骤谏[1]，公患之，使钮麑贼之[2]。晨往，寝门辟矣，盛服将朝[3]。尚早，坐而假寐[4]。麑退，叹而言曰："不忘恭敬，民之主也[5]。贼民之主，不忠；弃君之命，不信[6]。有一于此，不如死也[7]。"触槐而死[8]。

注释

[1]宣子：即赵盾。骤谏：屡次劝说。　[2]钮麑（chú 刺客的名字。贼：谋害。　[3]"晨往"句：是说钮麑凌晨去赵盾家，卧房的门已经打开，赵盾穿戴整齐准备上朝。　[4]作 打盹。　[5]"不忘"句：是说不忘记兢兢业业地工作，真 众的依靠啊。　[6]"贼民"句：是说杀害人民的栋梁，是不忠 背弃国君的命令，是没信用。　[7]"有一"句：是说肯定要 其中一个错误，不如死了算了。　[8]触：撞。

秋九月，晋侯饮赵盾酒[1]，伏甲[2]，将攻之。其右提弥明知之[3]，趋登[4]，曰："臣侍君宴，过三爵，非礼也[5]。"遂扶以下。公嗾夫獒焉，明搏而杀之[6]。盾曰："弃人用犬，虽猛何为[7]！"斗且出[8]。提弥明死之[9]。

狗咬赵盾

注释

[1]饮赵盾酒：请赵盾喝酒。 [2]伏甲：埋伏了士兵。 [3]提弥明：赵盾的车右。知之：察觉出阴谋。 [4]趋登：快步登上大殿。 [5]“臣侍”句：是说臣下陪国君吃饭，超过三杯就违反礼法了。 [6]“公嗾（sǒu）”句：是说晋灵公使唤猛犬咬赵盾，提弥明格杀了它。嗾，用声音指挥狗。獒（áo），一种凶猛的狗。 [7]“弃人”句：是说不用人而用狗，再凶猛也没用！ [8]斗且出：一边搏斗一边退出宫殿。 [9]死之：战死在这里。

初，宣子田于首山[1]，舍于翳桑[2]，见灵辄饿[3]，问其病。曰：“不食三日矣。”食之，舍其半[4]。问之。曰：“宦三年矣，未知母之存否，今近焉，请以遗之[5]。”使尽之，而为之箪食与肉，置诸橐以与之[6]。既而与为公介，倒戟以御公徒而免之[7]。问何故[8]。对曰：“翳桑之饿人也[9]。”问其名居[10]，不告而退。遂自亡也[11]。

注释

[1] 田:打猎。首山:首阳山，在今山西永济东南。 [2] 舍:住宿。翳(yì)桑:地名。 [3] 灵辄(zhé):人名。 [4]“食之”句:是说赵盾送给他食物，灵辄却留出一半。 [5]“宦三”句:是说我出来学习做官三年了，不知母亲还健在不，现在快到家了，请让我带这些食物给她。 [6]“使尽”句:是说赵盾让灵辄全部吃完,另外准备了一小筐食品和肉,放在布袋里给他。 [7]“既而”句:是说后来灵辄做了晋灵公的卫士，在这次暗杀中反过来抵挡晋灵公的士兵，让赵盾幸免于难。 [8] 问何故:赵盾问灵辄为什么要救自己。 [9]“翳桑”句:意思是我就是当年在翳桑挨饿的人。 [10] 名居:姓名和住所。 [11] 自亡:(赵盾)自己逃亡。

乙丑[1],赵穿杀灵公于桃园[2]。宣子未出山而复[3]。大史书曰[4]:“赵盾弑其君。”以示于朝[5]。宣子曰:“不然[6]。”对曰:“子为正卿，亡不越竟，反不讨贼，非子而谁[7]?”宣子曰:“呜呼!《诗》曰‘我之怀矣，自诒伊慼[8]’，其我之谓矣[9]。”

注释

[1] 乙丑:九月二十六日。 [2] 赵穿:赵盾的堂弟。桃园:晋公的一座园林。 [3]“宣子”句:意思是赵盾没离开国境就回到首都。 [4] 大史:太史，史官的一种。 [5] 示:宣布。[6] 不然:不对。 [7]“子为”句:意思是说，您身为正卿，

逃亡没有离开国境，回来又不讨伐乱贼，不是你杀国君是谁杀国君？正卿，相当于首相。竟，通“境”，边境。 [8]“我之”句：诗意思是我因为过分怀恋，反倒给自己留下了祸患。 [9]“其我”句：意思是这说的就是我啊。

孔子曰：“董狐[1]，古之良史也[2]，书法不隐[3]。赵宣子，古之良大夫也，为法受恶[4]。惜也！越竟乃免[5]。”

注释

[1]董狐：上文的大史。 [2]良史：优秀史官。 [3]书法不隐：忠实记录史实不加隐讳。书法，指史官记录历史所遵守的原则。 [4]为法受恶：因为历史记载的原则而蒙受恶名。 [5]越竟乃免：意思是说，赵盾要是离开国境逃往外国，就可以避免弑君的罪名了。免，免受谴责。

文史链接

晋灵公是晋文公的孙子，即位的时候还是幼儿，刚直的赵盾做了他的顾命大臣。成年以后，晋灵公想及早夺回属于自己的权力，屡次想杀赵盾都未能得逞，结果反而被赵盾的堂弟杀死。

这段文章中，赵盾被刻画成鞠躬尽瘁、呕心沥血的忠臣。《左传》在别的地方还把他比喻成夏天的太阳，可见其性格刚毅威严。晋灵公则是典型的荒淫无道的昏君。这些都是历史事实，不过他们之间最后的断杀，却不是道德较量的结果，即不是坏人陷害好人、好人消灭坏人的“舞台剧”，而是君臣权力斗争、矛盾激化的“活报剧”。同样的较量还将在晋国不断上演。这次赵家获胜了，二十多年后赵家却几乎被灭门，那时将发生著名的“赵氏孤儿”事件。

思考评价

1. 钼麑撞树自杀前的自白不可能有旁观者听到，那么一定是《左传》作者虚构的。他为什么要虚构这个情节？

2.《左传》作者把君臣矛盾写成了泾渭分明的正邪冲突，他是怎样通过情节的选择和组合达到这个目的的？

晋楚邲之战

（宣公十二年）

夏六月，晋师救郑。荀林父将中军[1]，先縠佐之[2]；士会将上军，郤克佐之[3]；赵朔将下军[4]，栾书佐之[5]。赵括、赵婴齐为中军大夫[6]，巩朔、韩穿为上军大夫[7]，荀首、赵同为下军大夫[8]。韩厥为司马[9]。

注释

[1] 荀林父：晋国的首相。将：指挥。荀林父以下的各位都是晋国大夫，全是晋国的大家族首领。　[2] 先縠：先轸的孙子。[3] 郤克：郤缺的儿子。　[4] 赵朔：赵盾的儿子，晋成公的女婿。

[5] 栾书：栾枝的孙子。　[6] 赵括、赵婴齐、赵同：赵盾的异母弟弟，晋文公的外孙。　[7] 巩朔：又叫士庄伯。韩穿：不详。[8] 荀首：荀林父的弟弟。　[9] 韩厥：《秦晋韩之战》中的韩简的孙子。

及河，闻郑既及楚平[1]，桓子欲还[2]，曰："无及于郑而剿民，焉用之[3]？楚归而动，不后[4]。"随武子曰[5]："善。会闻用师，观衅而动[6]。德刑、政事、典礼不易，不可敌也，不为是征[7]。楚君讨郑，怒其贰而哀其卑[8]。叛而伐之，服而舍之，德刑成矣[9]。伐叛，刑也；柔服，德也，二者立矣[10]。昔岁入陈，今兹入郑，民不罢劳，君无怨讟，政有经矣[11] 荆尸而举，商农工贾，不败其业，而卒乘辑睦，奸矣[12]。蒍敖为宰[13]，择楚国之令典[14]。军行，辕，左追蓐，前茅虑无，中权，后劲[15]。百官象而动，军政不戒而备，能用典矣[16]。

注释

[1] 既：已经。平：讲和。　[2] 桓子：荀林父。　[3] "无及"句：没赶上救郑国而骚扰民众，出兵没用了吧？　[4] "楚归"句：是说楚国撤军了我们再打郑国不迟。　[5] 随武子：即士会。[6] "会闻"句：是说我士会听说用兵得抓住敌方漏洞才行动。

第四章　宣公

[7]“德刑”句：道德、刑罚、政治、法令、礼教这些东西都不反常，这样的国家不能跟它为敌，不该攻打。 [8]“楚君”句：是说楚国讨伐郑国，是气恼郑国的三心二意，可怜他们的小心卑微。[9]“叛而”句：是说背叛就讨伐，顺服就饶恕，这样德行和刑罚就树立了。 [10]“伐叛”句：是说讨伐叛逆者是刑罚，安抚归顺者是德行，楚国现在两者都建立了。 [11]“昔岁”句：去年楚国攻打陈国，今年攻打郑国，民众不疲劳，国君没遭到抱怨，这表明楚国政治走上正轨啊。 [12]“荆尸”句：是说演练荆尸阵法，来参加的商人、农民、工人、小贩都没耽误工作，而步兵、车兵和睦团结，事事有条不紊。荆尸，楚国的一种战阵。[13]芳敖：孙叔敖。宰：令尹。 [14]“择楚”句：是说斟酌施用楚国的法典。 [15]“军行”句：行军的时候，右军负责戒备，左军打点食宿，前军打起旗号侦察情况，中军决策，精兵殿后。 [16]“百官”句：各级军官听从信号行动，军令无需传达，自觉遵守，真是训练有素啊。

“其君之举也，内姓选于亲，外姓选于旧[1]。举不失德，赏不失劳[2]。老有加惠，旅有施舍[3]。君子小人[4]，物有服章[5]。贵有常尊，贱有等威，礼不逆矣[6]。德立刑行，政成事时，典从礼顺，若之何敌之[7]？见可而进，知难而退，军之善政也；兼弱攻昧，武之善经也[8]。子姑整军而经武乎[9]！犹有弱而昧者，何必楚[10]？仲虺有言曰[11]：‘取乱侮亡。’兼弱也[12]。《汋》曰[13]：‘於铄王师！遵养

时晦。’耆昧也[14]。《武》曰[15]：‘无竞惟烈[16]。’抚弱耆昧，以务烈所，可也[17]。”

注释

[1]“其君”句：是说楚国君选拔官员，同姓选血缘近的，异姓选祖上当官的。　[2]“举不”句：是说选举不遗漏有道德的人，赏赐不错过有功劳的人。　[3]“老有”句：是说老人加倍优待，旅客得到馈赠。　[4]君子：指官员。小人：指一般民众。[5]物：指衣服器物。服章：用来表示地位差别的颜色、图案等。[6]“贵有”句：是说对上有规定的等级制度，对下有明确的隶属级别，这样礼法就不会颠倒。　[7]“德立”句：道德树立，刑罚执行，政令落实，办事及时，法规遵守，礼教顺从，怎么与它为敌？[8]“见可”句：是说看见机会就进军，发现困难就退兵，这是用兵的正确办法；兼并弱小攻打愚昧，这是用兵的正确原则。[9]“子姑”句：是说您暂时整顿部队、筹划战略吧。　[10]“犹有”句：是说还有弱小而愚昧的国家，何必非打楚国？　[11]仲虺（huǐ）：商汤的左相。　[12]“取乱”句：意思是“攻取混乱的国家，欺负灭亡的国家”，就是要兼并弱小。　[13]《汋（zhuó）》：《诗经·周颂》的篇名。　[14]“於铄”句：意思是辉煌的王师啊！率领大军消灭了混乱的国家。这说的是要攻打愚昧的国家。[15]《武》：《诗经·周颂》的篇名。　[16]无竞惟烈：意思是功业强盛无比。　[17]“抚弱”句：是说安抚弱小攻取混乱，以求成就功业，这是可以的。

彘子曰[1]：“不可。晋所以霸，师武、臣力也[2]。

今失诸侯，不可谓力；有敌而不从，不可谓武[3]。由我失霸，不如死[4]。且成师以出，闻敌强而退，非夫也[5]。命为军帅，而卒以非夫，唯群子能，我弗为也[6]。”以中军佐济[7]。

注释

[1] 彘（zhì）子：先縠。　[2]“晋所”句：是说晋国之所以称霸，是因为军队勇猛、大臣尽力。　[3]“今失”句：是说现在失去郑国，算不上尽力，面对敌人而不出战，算不上勇猛。[4]“由我”句：是说从我这里失去霸权，不如去死。　[5]“且成”句：是说况且兴师动众出兵，听说敌人强大就退走，不是大丈夫所为。　[6]“命为”句：是说受命担任统帅，最后却碌碌无为，各位办得到，我办不到。　[7] 以中军佐济：先縠带领隶属中军副帅的人马渡过黄河。

知庄子曰[1]：“此师殆哉[2]！《周易》有之：在《师》䷆之《临》䷒[3]，曰：‘师出以律，否臧，凶[4]。’执事顺成为臧，逆为否[5]。众散为弱，川壅为泽[6]。有律以如己也，故曰律[7]。否臧，且律竭也[8]。盈而以竭，夭且不整，所以凶也[9]。不行之谓‘临’，有帅而不从，临孰甚焉[10]？此之谓矣。果遇，必败，彘子尸之，虽免而归，必有大咎[11]。”

注释

[1]知（zhì）庄子：荀首。　[2]殆：危险。　[3]《师》☷☵、《临》☷☱：《周易》的卦名。之：变成。这是指占卜的时候，先求得《师》卦为本卦，而《师》卦的初六由阴爻（yáo）变成阳爻，就得到《临》卦，这叫做“之卦”。占卜时依据所变之爻的爻辞，而不看卦辞。　[4]“师出”句：是《师》卦初六的爻辞，也就是对爻象的解释，意思是出兵时必须用法令约束，不然的话，有凶险。　[5]“执事”句：是说做事情顺其自然叫做臧（zāng），违背自然叫做否（pǐ）。　[6]“众散”句：是说人心离散就会衰弱，水流堵塞就会变成沼泽。　[7]“有律”句：是说有纪律主帅就能指挥如意，所以叫做“律”。　[8]“否臧”句：是说不如意，说明纪律已经败坏。　[9]“盈而”句：是说从充实到败坏，堵塞而不通畅，所以卦象显示是凶。　[10]“不行”句：行不通叫做“临”，有统帅却不服从，还有比这更行不通的吗？　[11]“果遇”句：一旦遭遇敌军，一定失败，先縠是罪魁祸首，即使捡一条命回到晋国，也一定会大祸临头。

韩献子谓桓子曰[1]：“彘子以偏师陷，子罪大矣[2]。子为元帅，师不用命[3]，谁之罪也？失属亡师，为罪已重，不如进也[4]。事之不捷，恶有所分[5]。与其专罪，六人同之，不犹愈乎[6]？”师遂济[7]。

注释

[1]韩献子：韩厥。　[2]“彘子”句：意思是说，先縠带着小部队陷入包围，您的罪过大了。　[3]用命：服从命令。

[4]“失属”句：是说失去附庸郑国，丢失军队，罪过已经够大了，不如进军吧。　[5]“事之”句：意思是说，万一不能取胜，还有人一起分担过错。　[6]“与其”句：与其元帅一个人承担罪名，不如三军六个统帅一起承担，不是更好吗？　[7]济：渡河。

楚子北师[1]，次于郔[2]。沈尹将中军[3]，子重将左[4]，子反将右[5]，将饮马于河而归[6]。闻晋师既济[7]，王欲还，嬖人伍参欲战[8]。令尹孙叔敖弗欲[9]，曰：“昔岁入陈，今兹入郑，不无事矣[10]。战而不捷，参之肉其足食乎[11]？”参曰：“若事之捷，孙叔为无谋矣；不捷，参之肉将在晋军，可得食乎[12]？”令尹南辕、反旆[13]。伍参言于王曰：“晋之从政者新，未能行令[14]。其佐先縠刚愎不仁，未肯用命[15]。其三帅者，专行不获[16]。听而无上，众谁适从[17]？此行也，晋师必败。且君而逃臣，若社稷何[18]？”王病之，告令尹改乘辕而北之，次于管以待之[19]。

注释

[1]楚子：楚庄王。北师：领兵北上。　[2]郔（yán）：郑国地名，在今郑州北。　[3]沈尹：楚国大夫。　[4]子重：公子

婴齐。 [5]子反：公子侧。 [6]饮（yìn）马于河：到黄河给战马喝水，指炫耀军威。 [7]既济：已经渡过黄河。 [8]嬖(bì)人：国君的宠臣。伍参：伍子胥的曾祖父。 [9]弗欲：不愿意开战。[10]不无事：不是没有战事。 [11]“战而”句：是说交战而不能获胜，你的肉还不够分来向国人谢罪。 [12]“若事”句：要是获胜了，孙叔敖就是没有智谋；要是不获胜，我的肉将在晋军那里，你吃得上吗？ [13]南辕（yuán）：车头转向南方。反旆：军旗掉转方向。 [14]“晋之”句：是说晋国的执政荀林父新上任，指挥不灵。 [15]“其佐”句：是说他的副帅先縠固执凶暴又不关爱别人，不肯听从指挥。 [16]“其三”句：是说他们的三军主帅想主持军务却无法贯彻命令。 [17]“听而”句：晋军想服从命令也不知道谁是头，大家该听谁的？ [18]“且君”句：您作为君主却逃避臣下，怎么向国家交代？ [19]“王病”句：是说楚庄王很不爽，派人通知孙叔敖调转车头北上，驻扎在管地迎敌。管，郑国地名，在今郑州。

晋师在敖、鄗之间[1]。郑皇戌使如晋师[2]，曰：“郑之从楚，社稷之故也，未有贰心[3]。楚师骤胜而骄，其师老矣，而不设备[4]。子击之，郑师为承，楚师必败[5]。”彘子曰：“败楚服郑，于此在矣[6]。必许之！”

注释

[1]敖、鄗（hào）：都是山名，在今河南荥阳北。 [2]皇戌：郑国的卿。使：派人。如：前往。 [3]“郑之”句：是说郑国归顺楚国，是为了保全国家，不是要背叛晋国。 [4]“楚师”句：

是说楚军因多次获胜而骄傲，它的军队疲惫了，而且没有防备。[5]“子击”句:是说您进攻楚军，郑军跟上，楚军必败。　　[6]“败楚”句：是说击败楚国，降服郑国，就在此一举了。

栾武子曰[1]：“楚自克庸以来，其君无日不讨国人而训之于民生之不易、祸至之无日、戒惧之不可以怠[2]；在军，无日不讨军实而申儆之于胜之不可保、纣之百克而卒无后，训之以若敖、蚡冒筚路蓝缕以启山林[3]。箴之曰：‘民生在勤，勤则不匮[4]。’不可谓骄。先大夫子犯有言曰[5]:‘师直为壮，曲为老[6]。’我则不德[7]，而徼怨于楚[8]。我曲楚直，不可谓老[9]。其君之戎分为二广，广有一卒，卒偏之两[10]。右广初驾，数及日中，左则受之，以至于昏[11]。内官序当其夜，以待不虞[12]。不可谓无备。子良[13]，郑之良也[14]；师叔[15]，楚之崇也[16]。师叔入盟，子良在楚，楚、郑亲矣[17]。来劝我战，我克则来，不克遂往，以我卜也[18]！郑不可从[19]。”

注释

[1]栾武子：栾书。　　[2]“楚自”句：意思是说，楚国自从灭了庸国以来，它的国君没有一天不教导国民，告诫他们生活不容易、灾难随时降临、时刻提高警惕。庸，国名，在今陕西

汉中境内。 [3]“在军”句：是说在部队，没有一天不训练士兵，再三告诫不能躺在胜利上睡大觉，例如商纣王打了无数胜仗最后还是亡了国。教育民众楚国的祖先若敖、蚡（fén）冒艰苦创业的事迹。 [4]“箴之”句：劝导大家说：“人民生活在于勤劳，勤劳就不会贫乏。” [5]先大夫：指已经去世的大夫。子犯：狐偃，下面引用的话参见《晋楚城濮之战》。 [6]“师直”句：意思是说，军队师出有名叫做壮，师出无名叫做老。[7]不德：没有德行。 [8]徼怨：结怨。 [9]“我曲”句：是说我们理亏，楚国理直，不能说楚军没士气。 [10]“其君”句：是说楚国君的亲兵分为两部，叫做广，每广有一卒三十辆兵车，每卒又分为两偏各十五辆兵车。 [11]“右广”句：意思是右广鸡鸣时开始驾车，到了中午，由左广接替，直到黄昏。 [12]“内官”句：是说近卫士兵轮流值夜班，以防止意外。 [13]子良:郑国大夫。 [14]良:贤人。 [15]师叔:潘尪(wāng),楚国大夫。 [16]崇:受尊敬的人。 [17]“师叔”句:是说师叔刚到郑国结盟，现在子良又在楚国做人质，楚、郑很亲密啊。 [18]“来劝”句：是说郑国来劝我出战，要是我军胜利它就归顺，输了它就投靠楚国，这是拿我们做占卜、看风向呢。 [19]从：听信。

赵括、赵同曰：“率师以来，唯敌是求[1]。克敌、得属，又何俟[2]？必从彘子！”知季曰[3]：“原、屏,咎之徒也[4]。”赵庄子曰[5]：“栾伯善哉！实其言，必长晋国[6]。”

注释

[1] 唯敌是求：只为求得杀敌机会。 [2]“克敌”句：意思是说，可以战胜敌人、赢得属国，还等什么？ [3] 知季：荀首。[4] 咎之徒：灾星。 [5] 赵庄子：赵朔。 [6]“栾伯”句：意思是说，栾书的意见好极了！要是能实践他的话，晋国一定能长久。

楚少宰如晋师[1]，曰：“寡君少遭闵凶，不能文[2]。闻二先君之出入此行也，将郑是训定，岂敢求罪于晋[3]？二三子无淹久[4]！”随季对曰[5]：“昔平王命我先君文侯曰：‘与郑夹辅周室，毋废王命[6]！’今郑不率，寡君使群臣问诸郑，岂敢辱候人[7]？敢拜君命之辱[8]。”彘子以为谄[9]，使赵括从而更之[10]，曰：“行人失辞[11]。寡君使群臣迁大国之迹于郑，曰：‘无辟敌[12]！’群臣无所逃命[13]。”

注释

[1] 少宰：楚国官名。 [2]“寡君”句：意思是说，我们国君从小遭遇忧患，不善言词。 [3]“闻二”句：听说当年先君成王和穆王也走过这条路，都是为了驯服郑国，哪里敢得罪晋国？此行（háng），这条路，指由楚国到郑国的道路。 [4]“二三”句：是说各位将军不必逗留太久。 [5] 随季：士会。 [6]“昔平王”句：当年周平王命令我们的先君文侯说：“你跟郑国一起辅佐王室，不得废弃天子的命令。” [7]“今郑”句：是说现在郑

国不遵守王命，我国君派我们来责问郑国，岂敢劳烦您来打探。[8]“敢拜”句：意思是谨拜谢楚王的指示。士会的话是表示不打算跟楚国开战。　[9]谄：低声下气。　[10]更：更正。[11]行人：使者，指士会。失辞：说错话。　[12]“寡君”句：我国君派我们来把贵国请出郑国，说：“不要躲避敌人！”[13]“群臣”句：意思是大臣们无法回避国君的命令。赵括的话是向楚军挑战。

楚子又使求成于晋[1]，晋人许之，盟有日矣[2]。楚许伯御乐伯，摄叔为右[3]，以致晋师[4]。许伯曰：“吾闻致师者，御靡旌摩垒而还[5]。”乐伯曰：“吾闻致师者，左射以菆，代御执辔，御下，两马、掉鞅而还[6]。”摄叔曰：“吾闻致师者，右入垒，折馘、执俘而还[7]。”皆行其所闻而复[8]。晋人逐之，左右角之[9]。乐伯左射马，而右射人，角不能进[10]。矢一而已[11]。麋兴于前，射麋丽龟[12]。晋鲍癸当其后，使摄叔奉麋献焉[13]，曰：“以岁之非时，献禽之未至，敢膳诸从者[14]。”鲍癸止之[15]，曰：“其左善射，其右有辞[16]，君子也。”既免[17]。

注释

[1]求成：讲和。　[2]盟有日矣：定下会盟的日期了。

[3] 许伯、乐伯、摄叔：都是楚国大夫。　[4] 致晋师：向晋军挑战。　[5]“吾闻”句：是说我听说所谓挑战，就是御手驾驶战车倾斜着旌旗高速掠过对方营垒回来。靡旌，战车高速转弯时，旌旗由于离心力向外侧倾。　[6]“吾闻”句：是说我听说所谓挑战，就是车左用利箭射敌，替御手驾车，御手下车，整顿马匹然后掉头回营。　[7]“吾闻”句：是说我听说所谓挑战，就是车右冲入敌营，割下敌人的耳朵，抓俘虏回营。　[8]“皆行”句：意思是三个人都按照自己的理解完成了挑战回营。　[9] 角之：包抄许伯三人。　[10] 角不能进：包抄的晋军不能靠近。　[11] 矢一而已：只剩下一枝箭了。　[12]“麋兴”句：是说这时一头麋鹿蹿过跟前，乐伯一箭射穿麋鹿的脊背。　[13]“晋鲍”句：是说晋国的大夫鲍癸正从后追来，乐伯便让摄叔托着麋鹿献给鲍癸。　[14]“以岁”句：是说因为现在时节不对，不是献禽兽的时候，您就拿去给随从们吃掉吧。　[15] 止之：停止追击。　[16] 有辞：善于辞令。　[17] 既免：许伯三人都免于被俘。

晋魏锜求公族未得，而怒，欲败晋师[1]。请致师，弗许[2]。请使[3]，许之。遂往，请战而还[4]。楚潘党逐之，及荧泽，见六麋，射一麋以顾献[5]，曰："子有军事，兽人无乃不给于鲜？敢献于从者[6]。"叔党命去之[7]。赵旃求卿未得，且怒于失楚之致师者[8]，请挑战，弗许。请召盟[9]，许之，与魏锜皆命而往[10]。郤献子曰[11]："二憾往矣，弗备，必败[12]。"

注释

[1]“晋魏”句：是说魏锜想当公族大夫没得手，怀恨在心，想让晋军失败。魏锜（qí），魏犨的儿子。 [2]弗许：荀林父不批准。 [3]使：出使楚军。 [4]请战而还：魏锜向楚军下了战书回来。 [5]“楚潘”句：是说潘党追魏锜，追到荧泽，看见六头麋鹿，于是魏锜射了一头回头献给潘党。潘党，楚大夫，潘尪的儿子。 [6]“子有”句：是说您正忙打仗，负责狩猎的人恐怕不能充足供应鲜肉，请把这送给您的随从。 [7]“叔党”句：意思是不再追魏锜。叔党，潘党。去，离去。 [8]“赵旃（zhān）”句：是说赵旃想当卿没成功，又恼火让楚军前来挑战的人跑了。赵旃，赵穿的儿子。 [9]召盟：召请楚人前来会盟。 [10]命而往：受命前往。 [11]郤献子：郤克。 [12]“二憾”句：意思是说，两个心怀怨恨的人去了，不做好防备的话，一定会吃败仗。因为魏锜、赵旃不是去讲和，而是故意去挑衅。

彘子曰：“郑人劝战，弗敢从也；楚人求成，弗能好也[1]。师无成命，多备何为[2]？”士季曰[3]：“备之善[4]。若二子怒楚，楚人乘我，丧师无日矣，不如备之[5]。楚之无恶，除备而盟，何损于好[6]？若以恶来，有备不败[7]。且虽诸侯相见，军卫不彻，警也[8]。”彘子不可。士季使巩朔、韩穿帅七覆于敖前，故上军不败[9]。赵婴齐使其徒先具舟于河，故败而先济[10]。

左传选读

注释

[1]“郑人”句：是说郑国人劝我们进兵，不敢听从，楚国人来求和，又不能和好。 [2]“师无”句：是说军队没有既定的战略，多做防备又能怎样？ [3]士季：士会。 [4]备之善：还是有防备好。 [5]“若二子”句：是说如果他们两个激怒了楚人，楚人趁机偷袭，我军立刻就会吃败仗，不如防备一下。[6]“楚之”句：是说要是楚人没恶意，咱们再解除戒备跟它结盟，也不会损害友好。 [7]“若以”句：是说如果楚军带着恶意前来，咱们有防备不会失败。 [8]“且虽”句：是说况且即使是诸侯相见，卫兵也不撤除，要做警备啊。 [9]“士季”句：是说士会派赵朔、韩穿率领七队人马埋伏在敖山前，所以后来上军没有溃败。 [10]“赵婴”句：是说赵婴齐派他的部下事先在黄河准备好船只，所以虽然失败还能先渡河。

潘党既逐魏锜，赵旃夜至于楚军，席于军门之外，使其徒入之[1]。楚子为乘广三十乘，分为左右[2]。右广鸡鸣而驾，日中而说；左则受之，日入而说[3]。许偃御右广，养由基为右；彭名御左广，屈荡为右[4]。

注释

[1]“潘党”句：意思是说，潘党赶走魏锜之后，赵旃晚上来到楚军营外，在营门外席地坐下，派部下攻入楚军军营。 [2]“楚子”句：是说楚庄王的亲兵，每广三十辆兵车，分左右两广。

[3]“右广”句：是说右广鸡叫就驾好马，中午卸车休息；左广接班，太阳下山就卸车休息。　　[4]许偃、养由基、彭名、屈荡：都是楚国大臣。他们两人一组，轮班做楚王的车兵。

乙卯[1]，王乘左广以逐赵旃。赵旃弃车而走林，屈荡搏之，得其甲裳[2]。晋人惧二子之怒楚师也[3]，使軘车逆之[4]。潘党望其尘，使骋而告曰[5]：“晋师至矣！”楚人亦惧王之入晋军也，遂出陈[6]。孙叔曰：“进之！宁我薄人，无人薄我[7]。《诗》云：‘元戎十乘，以先启行。’先人也[8]。《军志》曰[9]：‘先人有夺人之心。’薄之也[10]。”遂疾进师，车驰、卒奔，乘晋军[11]。桓子不知所为，鼓于军中曰：“先济者有赏[12]！”中军、下军争舟，舟中之指可掬也[13]。

注释

[1]乙卯：约为六月十三日。　　[2]“赵旃”句：是说赵旃丢掉战车逃向树林，屈荡跟他搏斗，得到他的下身护甲。　　[3]惧：担心。怒：激怒。　　[4]軘（tún）车：一种用作守卫的兵车。逆：迎接。　　[5]“潘党”句：意思是潘党在回营路上看见尘土飞扬，赶紧派人飞车报告。　　[6]“楚人”句：是说楚军也担心楚庄王被晋军包围，于是列阵出兵。　　[7]“进之”句：是说前进！宁可我压迫别人，不能让别人压迫我。　　[8]“元戎”句：诗出自《诗经·小雅·六月》，意思是十辆大兵车，当先破敌阵，说的是要先

下手。　[9]《军志》：上古的一部兵书，已失传。　[10]“先人”句：是说先动手可以击垮对方的斗志，说的是要主动压迫敌人。[11]“遂疾”句：是说于是楚军迅速进军，战车飞驰，步兵狂奔，杀向晋军。　[12]“桓子”句：是说荀林父不知所措，在中军击鼓传令：“先渡河的有赏！”　[13]“中军”句：是说中军、下军争夺船只，船上的人砍断船下攀住船舷的手指，以至于船里的断指可以一把把捧起来。

晋师右移[1]，上军未动。工尹齐将右拒卒以逐下军[2]。楚子使唐狡与蔡鸠居告唐惠侯曰[3]：“不穀不德而贪，以遇大敌，不穀之罪也[4]。然楚不克，君之羞也[5]。敢藉君灵，以济楚师[6]。”使潘党率游阙四十乘[7]，从唐侯以为左拒[8]，以从上军[9]。驹伯曰[10]：“待诸乎[11]？”随季曰：“楚师方壮，若萃于我，吾师必尽，不如收而去之[12]。分谤、生民，不亦可乎[13]？”殿其卒而退，不败[14]。

注释

[1]右移：黄河在晋军的右侧，中军、下军正在抢渡，所以说右移。　[2]工尹齐：楚国大夫。右拒卒：右翼的士兵。[3]唐狡、蔡鸠居：都是楚国大夫。唐惠侯：唐国国君。　[4]“不穀”句：是说我没才德却贪心，以致遭遇强敌，这是我的罪过。[5]“然楚”句：是说要是楚国败了，也是您的耻辱。　[6]“敢藉”

句：是说想托您的福以帮助楚军。　[7] 游阙：后备兵车。[8] 从：跟随。左拒：左翼部队。　[9] 从上军：追逐晋国的上军。[10] 驹伯：郤克的儿子郤锜。　[11] 待诸乎：跟他们打吗？[12]“楚师”句：是说楚军气势正盛，如果全力攻我，我军必然覆没，不如收兵离开。　[13]“分谤”句：是说既承担失败的罪责，又保护士兵的生命，不也可以吗？　[14]“殿其”句：意思是士会亲自殿后撤退，所以没有失败。

王见右广，将从之乘[1]。屈荡户之[2]，曰：“君以此始，亦必以终[3]。”自是楚之乘广先左[4]。

注释

[1]“王见”句：是说楚庄王看见右广车队，想移驾过去。[2] 户：阻止。　[3]“君以”句：是说您从这边开始作战，就从这边结束。　[4] 先左：让左广先驾车。原先是右广先驾，中午以后左广接班。

晋人或以广队不能进，楚人惎之脱扃[1]。少进，马还，又惎之拔旆投衡，乃出[2]。顾曰：“吾不如大国之数奔也[3]。”

注释

[1]“晋人”句：是说晋军有兵车掉进坑里不能前进，楚军教他们拆掉车前横木。广，兵车。队，通“坠”。惎（jì），教导。

扃（jiōng），用来插武器的车前横木。　[2]“少进”句：是说车稍微移动了一下，马又盘旋不能前进了，于是楚军又教他们拔下旗帜、倒伏在衡木上，这才拖出陷坑。衡，车辕前端的横木，衡的两头下面装上轭，驾车中间两匹服马的颈脖上。　[3]“顾曰”句：是说脱险之后的晋军回头说：“我们不像贵国那样经常逃命有经验。”

赵旃以其良马二济其兄与叔父，以他马反[1]。遇敌不能去[2]，弃车而走林[3]。逢大夫与其二子乘，谓其二子无顾[4]。顾曰：“赵叟在后[5]。”怒之，使下，指木曰：“尸女于是[6]。”授赵旃绥，以免[7]。明日，以表尸之，皆重获在木下[8]。

注释

[1]“赵旃”句：是说赵旃把自己的两匹好马给了哥哥和叔父，自己驾上其他马匹返回军营。　[2]去：逃脱。　[3]走林：逃向树林。　[4]“逢大夫”句：是说逢大夫跟两个儿子同乘一辆兵车，叫两个儿子不要回头。逢大夫，晋国大夫。　[5]赵叟：赵旃。　[6]“怒之”句：是说逢大夫很生气，让两个儿子下车，指着旁边的树说：“我要在这里给你们收尸。”　[7]“授赵”句：是说逢大夫把带子递给赵旃让他上车，赵旃因此幸免于难。绥，供人拉着登车的带子。　[8]“明日”句：是说第二天，按着标记寻找尸首，果然两兄弟都死在那树下。

楚熊负羁囚知䓨，知庄子以其族反之，厨武子御，下军之士多从之[1]。每射，抽矢，菆，纳诸厨子之房[2]。厨子怒曰："非子之求，而蒲之爱，董泽之蒲，可胜既乎[3]？"知季曰："不以人子，吾子其可得乎[4]？吾不可以苟射故也[5]。"射连尹襄老[6]，获之[7]，遂载其尸；射公子穀臣[8]，囚之。以二者还[9]。

注释

[1]"楚熊"句：是说楚国的熊负羁抓了知䓨，荀首带领家兵反攻，魏锜做御手，下军士兵很多跟着前去。熊负羁，楚国大臣。知䓨，晋国大夫，荀首的儿子。厨武子，魏锜。 [2]"每射"句：是说荀首每次射箭，抽出的是好箭，就插到魏锜的箭袋里。 [3]"非子"句：你不着急救儿子，却舍不得箭，董泽那地方用来造箭的蒲柳多得是，用得完吗？ [4]"不以"句：不拿别人的儿子，我的儿子可以要回来吗？ [5]苟射：随便射箭。 [6]连尹襄老：楚国大臣。 [7]获：得到尸体。 [8]公子穀臣：楚国大臣，楚庄王的儿子。 [9]以：带着。还：回晋国。

及昏，楚师军于邲[1]。晋之余师不能军，宵济，亦终夜有声[2]。

注释

[1]军：驻扎。郔：地名，在今河南荥阳东北。 [2]“晋之”句：是说晋军残余已经溃不成军，连夜渡河，整晚都是渡河的嘈杂喧哗声。

丙辰[1]，楚重至于郔[2]，遂次于衡雍[3]。潘党曰：“君盍筑武军而收晋尸以为京观[4]？臣闻克敌，必示子孙[5]，以无忘武功。”楚子曰：“非尔所知也。夫文，止戈为武[6]。武王克商，作《颂》曰：‘载戢干戈，载櫜弓矢。我求懿德，肆于时夏，允王保之[7]。’又作《武》，其卒章曰[8]：‘耆定尔功[9]。’其三曰[10]：‘铺时绎思，我徂维求定[11]。’其六曰[12]：‘绥万邦，屡丰年[13]。’夫武，禁暴、戢兵、保大、定功、安民、和众、丰财者也，故使子孙无忘其章[14]。今我使二国暴骨，暴矣；观兵以威诸侯，兵不戢矣；暴而不戢，安能保大[15]？犹有晋在，焉得定功[16]？所违民欲犹多，民何安焉[17]？无德而强争诸侯，何以和众[18]？利人之几，而安人之乱，以为己荣，何以丰财[19]？武有七德，我无一焉，何以示子孙[20]？其为先君宫，告成事而已，武非吾功也[21]。古者明王伐不敬，取其鲸鲵而封之，以为大戮，于是乎有京观以惩淫慝[22]。今罪无所，而民皆尽忠以死君命，又可以为京观乎[23]？”祀于河，作先君宫，告成事而还[24]。

注释

[1]丙辰：约为六月十四日。　[2]重：辎重。　[3]衡雍：地名，在今河南原阳境内。　[4]盍（hé）：何不。武军：掩埋敌军尸体后垒起的土丘。京观：在武军上面造的标志或楼台。[5]示：展示。　[6]“夫文”句：是说从文字看，“止戈”加起来是武字。这是用拆字法解释武字的本义是停止争斗。　[7]“载戢”句：诗出自《诗经·周颂·时迈》，据说是周武王灭商之后创作的。意思是收起戈和盾，装起箭和弓，我希求美德，表达于这《夏》乐之中，一定能成就王业永保天下。　[8]卒章：指诗歌的最后一章。　[9]“耆定”句：与下面几句诗都出自《诗经·周颂·武》。这句的意思是成就并维持你的功业。　[10]其三：指诗歌的第三章。　[11]“铺时”句：意思是发扬先王美德，我为和平而战。　[12]其六：指诗歌的第六章。　[13]“绥万”句：是说安定万国，常保丰年。　[14]“夫武”句：所谓“武”，就是禁止暴行、消除战争、保全天下、维持功业、安抚人民、团结大众、增加财富，所以才使子孙后代不忘记他的功勋。　[15]“今我”句：现在我让晋楚两国尸骸暴露，已是暴行了；炫耀武力以威胁诸侯，已经不是消除战争了；残暴又不消除战争，怎么能保全天下？[16]“犹有”句：还有晋国在，怎能安定我的事业？　[17]“所违”句：违背民意的事情还很多，人民哪里安定呢？　[18]“无德”句：是说没有德行而强行争取诸侯，怎么团结大众呢？

[19]“利人”句：把利益建立在别人的危难上，把安乐建立在别人的动乱上，将这看作自己的荣耀，怎么能增加财富？ [20]“武有”句：是说“武”的七种美德，我一项都没有，拿什么展示给后代？ [21]“其为”句：是说为楚国的先王造神庙，是要向祖先报捷，武力不是我的功业。 [22]“古者”句：是说古代圣明的王者讨伐不顺服的国家，杀了罪魁祸首筑坟掩埋，以此作为严重的警戒，从此有京观来惩戒大奸大恶。 [23]“今罪”句：现在晋人没有罪行，而民众都是尽忠完成君命而死，又凭什么造京观呢？ [24]“祀于”句：是说在黄河边祭祀河神，造了楚国先王的神庙，报告获胜之后就凯旋了。

……

秋，晋师归，桓子请死[1]，晋侯欲许之[2]。士贞子谏曰[3]：“不可。城濮之役，晋师三日穀[4]，文公犹有忧色[5]。左右曰：‘有喜而忧，如有忧而喜乎[6]？’公曰：‘得臣犹在，忧未歇也[7]。困兽犹斗，况国相乎[8]？’及楚杀子玉，公喜而后可知也[9]，曰：‘莫余毒也已[10]！’是晋再克而楚再败也，楚是以再世不竞[11]。今天或者大警晋也，而又杀林父以重楚胜，其无乃久不竞乎[12]？林父之事君也，进思尽忠，退思补过，社稷之卫也，若之何杀之[13]？夫其败也，如日月之食焉，何损于明[14]？”晋侯使复其位[15]。

注释

[1]请死:请求受死。　[2]晋侯:晋景公。　[3]士贞子:晋国大夫士渥浊。　[4]三日穀:指获胜之后吃了楚军三天军粮。[5]忧色:忧愁的神色。　[6]“有喜”句:现在有喜事却忧愁,如果有忧愁的事难道高兴吗?　[7]“得臣”句:是说子玉还活着,不能高枕无忧。　[8]“困兽”句:被围困的野兽还会搏斗,何况是一国的首相呢?子玉是楚国的令尹,相当于首相,所以这样说。　[9]“公喜”句:是说晋文公喜形于色。　[10]“莫余”句:意思是没有人再妨碍我了!　[11]“是晋”句:是说(子玉自杀)等于晋国再次获胜而楚国再次战败,楚国于是连续两代王都不强大。　[12]“今天”句:意思是现在上天也许要严重警示晋国,如果又杀掉荀林父以倍增楚国的胜利,恐怕晋国会长期削弱了。　[13]“林父”句:荀林父侍奉国君,上朝时想着尽忠报效,退朝时想着弥补过失,这是国家的保障啊,为什么杀他?[14]“夫其”句:他这次失败,好比日食、月食,哪里会损害自身的光明呢?　[15]复其位:恢复荀林父中军元帅的职位。

文史链接

晋国跟楚国打了三场大战,邲之战是楚国唯一的大胜。楚庄王由此问鼎中原,跻身“春秋五霸”行列。

晋军这一仗空前绝后的惨败,《左传》做了极其精彩的描写。争船渡河砍下满船手指、整夜不停的桨声人声、楚军教晋军如何逃跑……都是脍炙人口的镜头。在这些冷峻和幽默之外,《左传》从头到尾都在展示晋军的必败。他们的失败不是因为战斗力疲软,而是内部意见分歧,将帅之间矛盾重重,三军各自为战。在既缺乏凝聚力,又没有作战计划的情况下,一次夜间遭遇战的失利,迅速恶化为全军的崩溃。原本不想与晋军交锋的楚军，反而因为战备充分、应变神速，得以大获全胜，饮马黄河。

这场溃败暴露了晋国最大的隐患，就是卿大夫之间的钩心斗角。这个“政治肿瘤”不断侵蚀着晋国，最终导致了三家分晋的结局。

思考讨论

1. 从城濮之战到邲之战，晋楚胜败发生了大逆转。请结合两篇文章，总结战争中取得胜利的因素。

2. 文中有一段关于“晋人或以广队不能进，楚人惎之脱扃”的描写，引人发噱。本书不少篇章都记载了战场礼仪，请把它们汇总起来，看看文质彬彬的东周人打仗的讲究。

第五章　成　公

齐晋鞌之战

（宣公十七年，成公二年、三年）

十七年春，晋侯使郤克征会于齐[1]。齐顷公帷妇人使观之[2]。郤子登[3]，妇人笑于房。献子怒[4]，出而誓曰："所不此报，无能涉河[5]！"

（以上宣公十七年）

注释

[1]晋侯：晋景公。郤克：晋大夫，郤缺的儿子。征会：征求会盟。[2]"齐顷"句：是说齐顷公让母亲躲在帐幕后面观看郤克。妇人，指齐顷公的母亲萧同叔子。　[3]登：登上朝堂。郤克是跛子，所以萧同叔子在帐幕后笑起来。　[4]献子：郤克。　[5]"所不"句：意思是我如果不能报这个仇，发誓不再过河！

孙桓子还于新筑[1]，不入，遂如晋乞师[2]。臧宣叔亦如晋乞师[3]。皆主郤献子[4]。晋侯许之七百乘[5]。郤子曰："此城濮之赋也[6]。有先君之明与先大夫之

肃，故捷[7]。克于先大夫，无能为役，请八百乘[8]。”许之。郤克将中军，士燮佐上军[9]，栾书将下军，韩厥为司马，以救鲁、卫。臧宣叔逆晋师[10]，且道之[11]。季文子帅师会之[12]。及卫地，韩献子将斩人，郤献子驰[13]，将救之。至，则既斩之矣[14]。郤子使速以徇[15]，告其仆曰：“吾以分谤也[16]。”

注释

[1]孙桓子:卫国的卿卫良夫。新筑:卫国地名。　[2]乞师:请兵。　[3]臧宣叔:鲁国大夫。鲁、卫两国分别吃了齐国的败仗，所以都向晋国求救兵。　[4]“皆主”句：是说晋国上下都主张让郤克带兵出征。　[5]“晋侯”句：是说晋景公答应给七百辆兵车。　[6]赋：出兵的员额。　[7]“有先”句：是说当年有晋文公的英明以及各位大夫的谨慎用心，才获得胜利。
[8]“克于”句：意思是我郤克跟前辈大夫相比，连做他们的仆人都不够格，请给我八百乘兵车。　[9]士燮（xiè）：晋大夫，士会的儿子。　[10]逆：迎接。　[11]道：同“导”，引导。
[12]季文子:鲁国的执政者。　[13]驰:飞速驾车。　[14]既:已经。之：指韩厥所杀的人。　[15]速以徇：赶快将尸体示众。
[16]分谤：分担对韩厥的指责。

师从齐师于莘[1]。六月壬申[2]，师至于靡笄之下[3]。齐侯使请战[4]，曰：“子以君师辱于敝邑，不腆敝赋，诘朝请见[5]。”对曰：“晋与鲁、卫，兄弟也[6]，来告曰：‘大国朝夕释憾于敝邑之地[7]。’寡君不忍，使群臣请于大国，无令舆师淹于君地[8]。能进不能退，君无所辱命[9]。”齐侯曰：“大夫之许，寡人之愿也；若其不许，亦将见也[10]。”齐高固入晋师[11]，桀石以投人[12]，禽之而乘其车[13]，系桑本焉[14]，以徇齐垒[15]，曰：“欲勇者贾余余勇[16]！”

注释

[1]从：追击。莘（shēn）：卫国地名，在今山东莘县北。[2]壬申：六月十六日。[3]靡笄（jī）：山名，今济南千佛山。[4]齐侯：齐顷公。[5]“子以”句：意思是您率领大军屈尊来到敝国，敝国的兵员有限，明天早上见个高下。[6]兄弟：晋、鲁、卫三国都是姬姓国家，所以说是兄弟。[7]“大国”句：是转述鲁、卫的话，意思是齐国成天到我们土地上撒野。[8]“寡君”句：是说我们国君不忍心，于是派下臣们来请求贵国不要再欺负鲁、卫，同时命令我军不得逗留贵国。[9]“能进”句：意思是我们奉命只能前进不能后退，您不必再吩咐了。表示接受挑战。[10]“大夫”句：是说大夫的许诺，正是我的心愿；大夫要是不应战，我也会来进攻的。[11]高固：齐国大夫。[12]桀（jié）石：举起石头。[13]禽：同“擒”，指抓到晋军俘虏。[14]系桑本：把桑树根系在战车上。[15]徇齐垒：在齐军营前游行。[16]“欲勇”句：意思是想要勇敢的人来买我剩下的勇气吧！

癸酉[1]，师陈于鞌[2]。邴夏御齐侯，逢丑父为右[3]。晋解张御郤克，郑丘缓为右[4]。齐侯曰："余姑翦灭此而朝食[5]。"不介马而驰之[6]。

注释

[1]癸酉：六月十七日。 [2]陈：同"阵"，列阵。鞌：齐国地名，在今济南西。 [3]邴（bǐng）夏、逢丑父：都是齐国大夫。 [4]解张、郑丘缓：都是晋人。当时元帅的战车布局是元帅居中击鼓指挥或射箭，御手居左驾车，车右在右持戈攻击及保卫。 [5]"余姑"句：意思是说，我先消灭了晋军再吃早饭。[6]介马：给马披上护甲。

郤克伤于矢，流血及屦，未绝鼓音[1]，曰："余病矣[2]！"张侯曰[3]："自始合，而矢贯余手及肘，余折以御。左轮朱殷，岂敢言病？吾子忍之[4]！"缓曰："自始合，苟有险，余必下推车，子岂识之？然子病矣[5]！"张侯曰："师之耳目，在吾旗鼓，进退从之[6]。此车一人殿之，可以集事[7]。若之何其以病败君之大事也[8]？擐甲执兵，固即死也，病未及死，吾子勉之[9]！"左并辔，右援枹而鼓[10]。马逸不能止[11]，师从之[12]。齐师败绩。逐之[13]，三周华不注[14]。

注释

[1]“郤克”句：是说郤克中了箭伤，血流到鞋子上，但是还不停击鼓指挥。 [2]病：伤重。 [3]张侯：解张。 [4]“自始”句：从开始交锋，我手掌和肘部就中了箭，我折断箭杆坚持驾车。左边的车轮都染红了，哪里敢说伤重？您忍耐一下吧。 [5]“自始”句：从一开始交锋，一旦碰上险阻，我一定下去推车，您哪里知道呢？不过您确实伤得不轻。 [6]“师之”句：是说军队的耳目，就在我们的旗帜和鼓点，进兵退兵都听它的。 [7]“此车”句：是说这辆车一个人守着就可以完成指挥任务。 [8]“若之”句：怎么能因为伤痛就坏了国君的大事呢？ [9]“擐甲”句：是说身披铠甲手持兵器，本来就视死如归，受伤还不至于死，您加把劲！ [10]“左并”句：是说解张左手并起两股缰绳驾马，右手拿起鼓槌替郤克击鼓指挥。 [11]逸：狂奔。 [12]从：跟随。 [13]逐之：追赶齐军。 [14]周：环绕。华不注：山名，在今济南东北。

韩厥梦子舆谓己曰[1]：“旦辟左右[2]！”故中御而从齐侯[3]。邴夏曰：“射其御者，君子也[4]。”公曰：“谓之君子而射之，非礼也[5]。”射其左，越于车下[6]。射其右，毙于车中[7]。綦毋张丧车[8]，从韩厥曰：“请寓乘[9]！”从左右[10]，皆肘之[11]，使立于后。韩厥俛[12]，定其右[13]。

注释

[1]子舆：韩厥的父亲。 [2]旦辟左右：早上打仗的时候不要站在车左或车右的位置。 [3]中御:站在战车中间驾车。从:追击。 [4]“射其”句:是邴夏建议齐顷公射韩厥。 [5]“谓之”句：是说你说他是君子还要射他，这不符合礼法。 [6]越：摔，掉。 [7]毙：死。 [8]綦（qí）毋（wú）张：晋大夫。丧车:丢失战车。 [9]寓乘:借乘韩厥的战车。 [10]从左右:站在车左或车右的位置。 [11]肘之：用手肘推綦毋张。[12]俛（fǔ):同“俯”,弯下腰。 [13]定其右:放稳车右的尸体。

逢丑父与公易位[1]。将及华泉[2]，骖絓于木而止[3]。丑父寝于轏中，蛇出于其下，以肱击之，伤而匿之，故不能推车而及[4]。韩厥执絷马前，再拜稽首，奉觞加璧以进[5]，曰："寡君使群臣为鲁、卫请[6]，曰：'无令舆师陷入君地[7]。'下臣不幸，属当戎行，无所逃隐[8]。且惧奔辟，而忝两君[9]。臣辱戎士，敢告不敏，摄官承乏[10]。"丑父使公下，如华泉取饮[11]。郑周父御佐车[12]，宛茷为右，载齐侯以免[13]。韩厥献丑父，郤献子将戮之[14]，呼曰："自今无有代其君任患者,有一于此,将为戮乎[15]？"郤子曰："人不难以死免其君，我戮之，不祥。赦之，以劝事君者[16]。"乃免之。

注释

[1] 易位：交换位置。即齐顷公居左驾车，逢丑父居中击鼓。 [2] 华泉：华不注山下的泉水。 [3] 骖：四匹马中居两边的马。絓（guà）：绊住。 [4]“丑父”句：是说明丑父等人不能逃脱的原因，意思是前一天晚上逢丑父睡在竹木车里，蛇爬到他身下，逢丑父用前臂打蛇，结果被咬伤，但他隐瞒了伤情，因此不能把车推开，被韩厥追上。 [5]“韩厥”句：说的都是当时军帅见敌国国君时候的礼仪，大意是韩厥执着马缰走到齐顷公车前，叩了两个头，捧着酒杯和玉璧献给齐顷公。 [6]“寡君”句：意思是说，我们国君派我们为鲁、卫请求贵国解围。 [7]“无令”句：意思是说，不要让军队进入齐国。 [8]“下臣”句：是说微臣不幸恰好担任军职，无法逃避。 [9]“且惧”句：意思是说，而且担心逃避会使两国君主受辱。 [10]“臣辱”句：是说微臣身为军人，虽然能力有限，也不得不代为行使职权。意思就是要逮捕齐顷公。 [11]“丑父”句：意思是说，正冒充齐顷公的逢丑父故意让冒充车左的齐顷公去取水，然后趁机逃走。 [12] 郑周父、宛茷（fá）：都是齐人。佐车：副车。 [13] 免：脱险。 [14] 戮：杀。 [15]“自今”句：意思是说，从来没有代替国君受难的人，有一个在这里，要被杀了吗？ [16]“人不”句：意思是说，一个人不惜以死来拯救国君，我杀了他，不吉利。放了他，以此鼓励那些侍奉国君的人。

齐侯免，求丑父，三入三出[1]。每出，齐师以帅退[2]。入于狄卒，狄卒皆抽戈楯冒之[3]。以入于卫师[4]，卫师免之[5]。遂自徐关入[6]。齐侯见保者[7]，

曰："勉之[8]！齐师败矣！"辟女子[9]。女子曰："君免乎[10]？"曰："免矣。"曰："锐司徒免乎[11]？"曰："免矣。"曰："苟君与吾父免矣，可若何[12]？"乃奔[13]。齐侯以为有礼[14]。既而问之，辟司徒之妻也[15]。予之石窌[16]。晋师从齐师，入自丘舆。击马陉[17]。

注释

[1]"齐侯"句：是说齐顷公脱险之后，为了营救逢丑父三次杀入杀出晋军。 [2]"每出"句：意思是每次齐侯杀出重围，齐军都簇拥着他撤退。 [3]"入于"句：是说齐侯冲入狄兵，狄兵都用长戈和盾牌保护他。狄卒，狄族士兵，是晋的友军。 [4]卫师：卫国军队，也是晋国友军。 [5]免之：放过他。 [6]徐关：齐国地名。在今山东淄博境内。 [7]保者：城门守军。 [8]勉之：努力。 [9]辟女子：是说叫路上一个女子回避。辟，同"避"，回避。 [10]君免乎：国君脱险了吗？ [11]锐司徒：掌管兵器的官员。 [12]"苟君"句：假如国君和我父亲都脱险了，还想怎么样？ [13]奔：跑开。 [14]有礼：女子先问国君再问父亲，所以齐顷公认为她有礼。 [15]辟（bì）司徒：掌管修筑营垒的官员。 [16]石窌（liù）：地名，在今山东长清东南。 [17]丘舆、马陉：齐地名，都在今山东淄博南部附近。

……

晋师归，范文子后入[1]。武子曰[2]："无为吾望尔也乎[3]？"对曰："师有功，国人喜以逆之，先入，

必属耳目焉，是代帅受名也，故不敢[4]。”武子曰：“吾知免矣[5]。”郤伯见，公曰[6]：“子之力也夫[7]！”对曰：“君之训也，二三子之力也，臣何力之有焉[8]？”范叔见，劳之如郤伯[9]。对曰：“庚所命也，克之制也，燮何力之有焉[10]？”栾伯见，公亦如之[11]。对曰：“燮之诏也，士用命也，书何力之有焉[12]？”

（以上成公二年）

注释

[1]范文子：即士燮。后入：最后进入国都。 [2]武子：士燮的父亲士会。 [3]“无为”句：意思是你不知道我在盼望你吗？ [4]“师有功”句：军队凯旋，国人欢天喜地前往迎接，要是率先入城，一定备受瞩目，那就是代替主帅领受荣耀，因此我不敢先入。 [5]吾知免矣：意思是士燮如此谦逊，一定不会招惹是非。免，免于灾祸。 [6]公：晋景公。 [7]“子之”句：意思是这场胜利是你的功劳啊。 [8]“君之”句：这都是国君的教导，各位大夫的努力，微臣哪里有什么功劳呢？ [9]“范叔”句：是说士燮拜见晋景公，晋景公像对郤克一样慰劳他。范叔，士燮。 [10]“庚所”句：这是荀庚的命令，郤克的指挥，我士燮有什么功劳呢？庚，荀庚，晋国的上军主将，士燮是他的副将。克，郤克。 [11]如之：如同对郤克和士燮一样慰劳。
[12]“燮之”句：这是士燮的教导，士兵们效忠，我栾书有什么功劳呢？

齐侯朝于晋，将授玉[1]。郤克趋进曰[2]：“此行也，君为妇人之笑辱也，寡君未之敢任[3]。”晋侯享齐侯[4]。齐侯视韩厥。韩厥曰：“君知厥也乎[5]？”齐侯曰：“服改矣[6]。”韩厥登[7]，举爵曰[8]：“臣之不敢爱死，为两君之在此堂也[9]。”（以上成公三年）

注释

[1]授玉：诸侯相见的一种礼节。 [2]趋进：快步向前。 [3]“此行”句：意思是齐侯这次来访，是因为我国君的使节被齐国的女人嘲笑侮辱，我们国君不敢接受这玉。 [4]享：宴请。 [5]知：认识。 [6]“服改”句：意思是说，衣服换了。因为去年战场相见时韩厥穿的是军装。 [7]登：登上两国国君就座的堂上。 [8]爵：酒杯。 [9]“臣之”句：是说微臣之所以在战场上不要命地打仗，是为了促成两国国君在这堂上和谈啊。

文史链接

齐国从齐桓公之后，虽然国势有所削弱，但仍旧是东方大国，晋国和楚国经常过来笼络它。齐国有时侵略周边国家，晋、楚也不大干预。因此，鞌之战的导火索固然是晋国给鲁、卫解围，其实晋国的战略目的是趁楚庄王新近去世，楚国不便发兵之际，把齐国彻底收服到自己的阵营来，增加跟楚国角逐中原的资本。

这场仗的远因，还包含一场个人恩怨：晋国使臣郤克多年前出使齐国，曾经被齐侯侮辱。此时他担任了晋国的中军元帅，自然极力主张伐齐。国仇家恨，一起了断。

在久经沙场的晋军阵前，齐军仅仅凭借匹夫之勇冲锋陷阵，结果只能是一败涂地。晋军依靠团结和血战到底的精神，赢得了胜利。而晋人在战场上刀光剑影的间隙，仍旧恪守君臣礼节，让我们领略到古人克制和雍容的风度。

思考讨论

1. 在鞌之战中，齐国虽败，齐顷公却也表现出了勇武义气。你如何评价他在战前战后的表现？

2. 韩厥因梦见其父提醒“旦辟左右”而逃过一劫，反映出《左传》写作中神秘主义的特点。这种写法对于组织文章和解释历史有什么意义？

知䓨对楚共王

（成公三年）

晋人归楚公子穀臣与连尹襄老之尸于楚[1]，以求知䓨。于是荀首佐中军矣[2]，故楚人许之。

注释

[1] 公子穀臣、连尹襄老：两人都是楚国大臣，在邲之战中一被俘一被杀。详情见《晋楚邲之战》。 [2] 于是：在这个时候。佐中军：做中军副统帅。

王送知罃[1]，曰："子其怨我乎[2]？"对曰："二国治戎，臣不才，不胜其任，以为俘馘[3]。执事不以衅鼓，使归即戮，君之惠也[4]。臣实不才，又谁敢怨[5]？"王曰："然则德我乎[6]？"对曰："二国图其社稷，而求纾其民，各惩其忿，以相宥也[7]。两释累囚，以成其好[8]。二国有好，臣不与及，其谁敢德[9]？"

注释

[1]王：楚共（gōng）王。　[2]其：疑问副词。怨：怨恨。　[3]"二国"句：是说两国交战，微臣没本事，不能胜任职责，做了俘虏。　[4]"执事"句：是说您不杀我，让我回国受死，这是您的恩惠啊。衅（xìn）鼓，先秦时的一种祭祀方式，杀人之后把血涂在鼓上。　[5]谁敢怨：敢怨恨谁呢？　[6]德：感激。　[7]"二国"句：是说既然两国都是为了谋求国家利益，希望减轻百姓压力，那么各自抑制愤怒，互相谅解。　[8]"两释"句：是说互相释放俘虏，以促成友好。　[9]"二国"句：两国友好，我没份参与，能感激谁呢？

王曰："子归，何以报我[1]？"对曰："臣不任受怨[2]，君亦不任受德，无怨无德，不知所报。"王曰："虽然[3]，必告不穀。"对曰："以君之灵，累臣得归骨于晋，寡君之以为戮，死且不朽[4]。若从君之惠而免之，以赐君之外臣首；首其请于寡君，而以戮于宗，亦死且不朽[5]。若不获命，而使嗣宗职，次及于事，而帅偏师，以修封疆[6]。虽遇执事，其弗敢违，其竭力致死，无有二心，以尽臣礼，所以报也[7]。”

注释

[1]报:报答。 [2]不任:不应当。 [3]虽然:即使如此。 [4]“以君”句：是说托您的福，我这俘虏要是能够回到晋国，我国国君把我杀掉，那么死了也是不朽的。 [5]“若从”句：是说要是我国国君开恩不杀，把我赐给您的外臣荀首，荀首请示国君之后，把我在宗庙处死，那我同样死而不朽。外臣，卿大夫对异国国君称为外臣。 [6]“若不”句：是说如果外臣不杀我，而是让我担任继承人，轮任晋国的长官，率领人马保卫边疆。 [7]“虽遇”句：即使碰上您，也不敢逃避，也要竭力死战，没有别的想法，以此完成臣子的职责，这就是我的报答。

王曰：“晋未可与争。”重为之礼而归之[1]。

注释

[1]重为之礼：给予隆重的礼遇。归之：把知罃送回晋国。

文史链接

知罃在邲之战被楚军俘虏。九年之后，他父亲做了晋国的中军副统帅，所以楚国同意把他交换回晋国。这一段是知罃回国前跟楚共王的对话。他丝毫没有因为俘虏的身份而低声下气，也不为获释回国而感激涕零。他不卑不亢的态度，有礼有节的回答，维护了自己和晋国的尊严。他的对答，与重耳对楚成王的答复有异曲同工之妙。

返回晋国之后的知罃，果然备受重用，参加了多次对楚作战，特别是他发明了一种车轮骚扰战法，让后来在鄢陵之战被射瞎了一只眼睛的楚共王更加目不暇接。

有意思的是，对话的时候楚共王只有十三四岁；而巧合的是，两人同在二十八年之后去世。

思考讨论

1. 请根据全文，谈谈你对知罃的评价。

2. 知罃在应答楚共王时，体现出国家利益高于个人安危的倜傥的男儿本色。请仔细分析他是如何解释“德”和“报”的。

不忘故国的钟仪

（成公九年）

晋侯观于军府[1]，见钟仪[2]。问之曰：“南冠而絷者[3]，谁也？”有司对曰[4]：“郑人所献楚囚也。”

使税之[5]。召而吊之[6]。再拜稽首[7]。问其族[8]。对曰："泠人也[9]。"公曰："能乐乎[10]？"对曰："先人之职官也，敢有二事[11]？"使与之琴，操南音[12]。公曰："君王何如[13]？"对曰："非小人之所得知也[14]。"固问之[15]。对曰："其为太子也，师、保奉之，以朝于婴齐而夕于侧也[16]。不知其它。"

注释

[1]晋侯：晋景公。观：视察。军府：军备仓库。　[2]钟仪：楚国郧（yún）地的地方官，两年前被郑人俘虏，献给晋国。　[3]南冠：南方款式的帽子。当时楚国的帽子样式跟中原差别很大，所以特别显眼。絷：拘禁。　[4]有司：主管官员。　[5]税：同"脱"，解开。　[6]吊：问候，慰问。以上三个"之"都是指钟仪。　[7]稽首：磕头到地。　[8]问其族：问钟仪的家族情况。　[9]泠（líng）人：即"伶人"，负责音乐的官员。　[10]乐：表演音乐。　[11]"先人"句：演奏是我祖辈的职责，哪敢从事其他职业？这是谦虚地表示我只懂得音乐。　[12]操：演奏。南音：南方的曲调。　[13]君王何如：是问楚国国君怎么样。　[14]小人：钟仪自指。　[15]固：坚持，一再。　[16]"其为"句：是说国君当太子的时候，先王庄王就挑好师傅辅助他，早晨向令尹子重请教，晚上向子反求学。婴齐，楚国令尹子重的名字。侧，楚国司马子反的名字。

公语范文子[1]。文子曰："楚囚，君子也。言

称先职，不背本也；乐操土风，不忘旧也；称太子，抑无私也；名其二卿，尊君也[2]。不背本，仁也；不忘旧，信也；无私，忠也；尊君，敏也[3]。仁以接事，信以守之，忠以成之，敏以行之[4]。事虽大，必济[5]。君盍归之，使合晋、楚之成[6]？”公从之，重为之礼，使归求成[7]。

注释

[1]语：告诉。范文子：晋国大夫士燮。 [2]“言称”句：他的话里提到先辈的职责，是不忘本；乐于演奏故乡的曲调，是不厌旧；称赞国君在太子时候的事情，是无私；直呼令尹和司马的名字，是尊崇国君。 [3]“不背”句：是说不忘本，表示仁厚；不厌旧，表示信用；无私，表示忠诚；尊崇国君，表示勤勉。[4]“仁以”句：是说用仁厚来处理事务，用信用来奉行它，用忠诚来促成它，用勤勉来推行它。 [5]济：成功。
[6]“君盍”句：您何不释放他，让他促成晋国和楚的和好？
[7]求成：讲和。

文史链接

钟仪是楚国的地方官，两年前被俘虏到晋国，晋景公视察的时候偶然见到他，于是有了文中这段有名的对话。

引起晋景公注意的是钟仪戴着的南方的帽子，而让他感动的是钟仪对故乡的怀恋。钟仪以帽子维护身份，以音乐守卫灵魂，跟四百年后在苦寒的贝加尔湖边牧羊的苏武绝不抛弃汉朝的节杖一样，都是用一种仪式化的行为强化自己忠贞的信念。从此，“南冠”、“楚囚”就成为了描绘爱国主义言行的两个常用词。

思考讨论

1. 钟仪对国家的深切爱恋令晋景公动容，也令我们动容。春秋时期，如此有气节的战俘在《左传》中并不罕见。请比较他跟知罃性格和态度的不同。

2. 晋景公释放钟仪，与楚国议和，反映出他是一位知人善任、有所作为的君主。请结合本文与《邲之战》、《鞌之战》，谈谈你对他的看法。

晋楚鄢陵之战

（成公十六年）

十六年春，楚子自武城使公子成以汝阴之田求成于郑[1]。郑叛晋，子驷从楚子盟于武城[2]。

注释

[1]楚子：楚共王。武城：楚国地名，在今河南南阳北。公子成：楚国大夫。汝阴之田：属于楚国的一片土地，在今河南郏县和叶县之间。求成：讲和。　　[2]子驷：郑国的卿。

……

晋侯将伐郑[1]。范文子曰："若逞吾愿，诸侯皆叛，晋可以逞[2]。若唯郑叛，晋国之忧，可立俟也[3]。"栾武子曰："不可以当吾世而失诸侯，必伐郑[4]。"乃兴师。栾书将中军，士燮佐之；郤锜将上军，荀偃佐之；韩厥将下军，郤至佐新军[5]。荀罃居守[6]。郤犨如卫，遂如齐，皆乞师焉[7]。栾黡来乞师[8]。孟献子曰[9]："有胜矣[10]。"戊寅[11]，晋师起[12]。

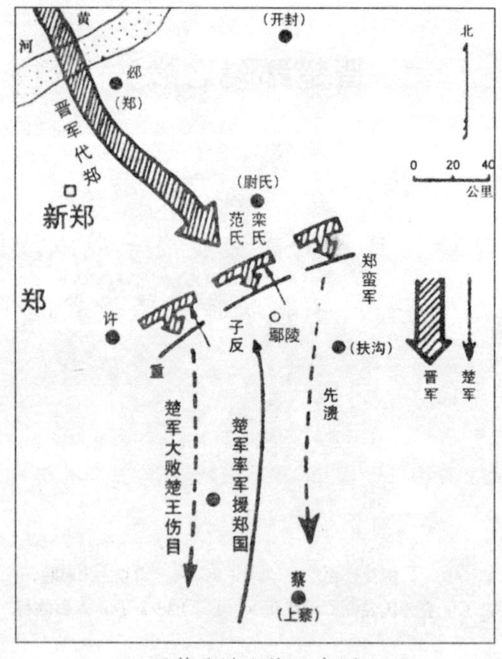

晋楚鄢陵之战示意图

注释

[1]晋侯:晋厉公。 [2]“若逞”句:是说如果照我的意思,诸侯都叛变了,晋国才能有所作为。 [3]“若唯”句:是说要是只有郑国背叛,晋国的灾难,马上就到了。士燮发表这番意见的原因请参看本节文史链接。 [4]“不可”句:栾书的意思是,不能在我这一代人手上失去诸侯,一定要讨伐郑国。 [5]新军:晋国在原来的三军之外新设的军队序列。 [6]居守:留守国内。 [7]乞师:请兵。 [8]来:指到鲁国。 [9]孟献子:鲁国大夫。 [10]有胜:(晋国)能够获胜。 [11]戊寅:四月十二日。 [12]起:出发。

郑人闻有晋师,使告于楚,姚句耳与往[1]。楚子救郑。司马将中军[2],令尹将左[3],右尹子辛将右[4]。过申[5],子反入见申叔时[6],曰:“师其何如[7]?”对曰:“德、刑、详、义、礼、信,战之器也[8]。德以施惠,刑以正邪,详以事神,义以建利,礼以顺时,信以守物[9]。民生厚而德正,用利而事节,时顺而物成,上下和睦,周旋不逆,求无不具,各知其极[10]。故《诗》曰:‘立我烝民,莫匪尔极[11]。’是以神降之福,时无灾害,民生敦厖,和同以听,莫不尽力以从上命,致死以补其阙,此战之所由克也[12]。今楚内弃其民,而外绝其好;渎齐盟,而食话言,奸时以动,

而疲民以逞[13]。民不知信，进退罪也[14]。人恤所底，其谁致死[15]？子其勉之！吾不复见子矣[16]。”姚句耳先归，子驷问焉。对曰：“其行速，过险而不整[17]。速则失志，不整，丧列[18]。志失、列丧，将何以战？楚惧不可用也[19]。”

注释

[1]姚句耳：郑国使者的随从。 [2]司马：即子反。 [3]令尹：即子重。将：指挥。 [4]右尹：楚国官名。子辛：即楚公子壬夫。 [5]申：楚国地名。 [6]申叔时：楚国元老。 [7]师其何如：出兵的结果会怎样？ [8]“德、刑”句：是说德行、刑罚、和顺、正义、礼法、信用，这些是战争的工具。 [9]“德以”句：是说德行用来布施恩惠，刑罚用来纠正邪恶，和顺用来事奉鬼神，正义用来奠定利益，礼法用来遵守节令，信用用来保持所有。 [10]“民生”句：民众生活丰厚则道德端正，有利于国家才行动则举动合适，顺应农时则万物生长，于是上下和睦，无往不利，有求必应，人人守法。 [11]“立我”句：出自《诗经·周颂·思文》，大意是安置民众，无不符合原则。 [12]“是以”句：因此神灵赐福，四季无灾，百姓富裕，同心同德听从王命，无不尽力完成上级的命令，舍生忘死弥补国家的缺失，这是战争胜利的原因。 [13]“今楚”句：现在楚国在内不顾百姓，在外断绝友邦，亵渎神圣的盟约，不守自己的诺言，违背农时出兵，使百姓疲乏以满足私欲。 [14]“民不”句：是说民众不知道政府信用何在，进也得罪退也得罪。 [15]“人恤”句：是说人人担心自己的结局，谁会拼死奋战呢？底（zhǐ），至，终。

[16]“子其”句:是说您努力吧！我再也见不到您了。[17]“其行”句:是说楚军行军仓促,经过险阻时队列不整齐。[18]“速则”句:是说仓促就会考虑不周,不整齐就会失去队形。[19]“志失”句：是说考虑不周、丧失队形，还能靠什么作战？楚军怕是不行了。

五月，晋师济河。闻楚师将至，范文子欲反[1]，曰:“我伪逃楚,可以纾忧[2]。夫合诸侯,非吾所能也,以遗能者[3]。我若群臣辑睦以事君，多矣[4]。”武子曰：“不可。”

注释

[1]反：同“返”，指返回晋国。[2]“我伪”句：是说我们假装逃避楚军，这样可以缓解忧患。[3]“夫合”句：是说会盟诸侯这种大事不是我们能做到的，留给有本事的人做吧。[4]“我若”句：是说我们如果群臣和睦事奉君主，也就足够了。

六月，晋、楚遇于鄢陵[1]。范文子不欲战。郤至曰：“韩之战，惠公不振旅[2]；箕之役，先轸不反命[3]；邲之师，荀伯不复从[4]，皆晋之耻也。子亦见先君之事矣。今我辟楚，又益耻也[5]。”文子曰：“吾先君之亟战也[6]，有故[7]。秦、狄、齐、楚皆强，不尽力，子孙将弱[8]。今三强服矣，敌楚而

已[9]。惟圣人能外内无患[10]。自非圣人，外宁必有内忧，盍释楚以为外惧乎[11]？”

注释

[1]鄢陵:地名,在今河南鄢陵北。　[2]振旅:凯旋。“不振旅”就是失败的意思。　[3]反命：回国复命。“不反命”也是失败的意思。　[4]荀伯：荀林父。不复从：不能再战，即吃败仗的意思。　[5]“今我”句:是说现在我们逃避楚军，又增加了耻辱。[6]亟（qì）战：屡次作战。　[7]有故：有原因。　[8]“秦、狄”句：是说秦、狄、齐、楚四个都是强国，不尽力抵抗，后代会被他们削弱。　[9]“今三”句：是说现在秦、狄、齐三强都归顺晋国了，只有楚国与我们为敌。　[10]“惟圣”句：意思是说，只有圣人可以外部内部都没有忧患。　[11]“自非”句：意思是说，既然不是圣人，外部安宁了一定会有内忧，何不放过楚国让它作为外部的压力呢？范文子的意见，跟《孟子·告子下》讲的“入则无法家拂士，出则无敌国外患者，国恒亡。然后知生于忧患而死于安乐也”意思相当。

甲午晦，楚晨压晋军而陈[1]。军吏患之[2]。范匄趋进[3]，曰:“塞井夷灶，陈于军中，而疏行首[4]。晋、楚唯天所授，何患焉[5]？”文子执戈逐之[6]，曰:“国之存亡，天也，童子何知焉[7]！”栾书曰：“楚师轻窕，固垒而待之，三日必退[8]。退而击之，必获胜焉。”郤至曰：“楚有六间[9]，不可失也[10]。其二卿相恶，王卒以旧，郑陈而不整，蛮军而不陈，陈不违晦，在陈而嚣，合而加嚣[11]。各顾其后，莫有斗心；旧不必良，以犯天忌，我必克之[12]。”

注释

[1]“甲午”句：意思是说楚军一早压到晋军军营前列阵，这样晋军就没了出营列阵的空间。甲午晦，五月三十日。

[2]军吏：指晋军的将官。 [3]范匄（gài）：士燮的儿子。趋进：快步向前。 [4]“塞井”句：是说我军填平水井，推平土灶，在军营中摆开阵势，拉开队首和营垒的距离。如此一来，一旦拆除营垒，晋军获得冲刺的空间，楚军的抵近布阵就失效了。 [5]“晋、楚”句：晋、楚胜败在于天意，有什么好担心的？ [6]文子：即士燮。 [7]“国之”句：是说国家的存亡是天意，小孩子知道什么！士燮不想打仗，所以恼火范匄出主意。 [8]“楚师”句：是说楚军军心浮躁，我们坚守营垒，他们三天之后一定撤退。

[9]间：弱点。 [10]失：错过。 [11]“其二卿”句：他们的司马和令尹互相反感，楚王亲兵都是老兵，郑军列了阵但不整齐，南蛮族军队不会列阵，列阵不避开不吉利的“晦”日，排阵的时候喧哗，排好了更吵闹。 [12]“各顾”句：是说个个想着自己的退路，就没有斗志；老兵不一定就是精兵，还犯了大忌，我们一定能战胜他们。

楚子登巢车[1]，以望晋军。子重使大宰伯州犁侍于王后[2]。王曰：“骋而左右[3]，何也？”曰：“召

军吏也[4]。”“皆聚于中军矣。”曰：“合谋也[5]。”“张幕矣[6]。”曰：“虔卜于先君也[7]。”“彻幕矣[8]。”曰：“将发命也[9]。”“嚣，且尘上矣[10]。”曰：“将塞井夷灶而为行也[11]。”“皆乘矣，左右执兵而下矣[12]。”曰：“听誓也[13]。”“战乎[14]？”曰：“未可知也。”“乘而左右皆下矣。”曰：“战祷也[15]。”伯州犁以公卒告王[16]。苗贲皇在晋侯之侧，亦以王卒告[17]。皆曰[18]：“国士在，且厚，不可当也[19]。”苗贲皇言于晋侯曰：“楚之良，在其中军王族而已[20]。请分良以击其左右，而三军萃于王卒，必大败之[21]。”公筮之[22]。史曰[23]：“吉。其卦遇《复》，曰：‘南国蹙，射其元王，中厥目[24]。’国蹙、王伤，不败何待[25]？”公从之。

注释

[1]巢车：一种用来瞭望敌军的车子，车上用高杆支起小屋，样子像鸟巢，故称。　[2]大宰：官名。伯州犁：晋国人，父亲被晋杀害后逃到楚国。以下是楚共王和他的观察对话，通过旁观者的眼光描述了晋军的行动，技巧独特。　[3]骋（chěng）而左右：兵车向两边驰骋。　[4]召军吏：召集将官。　[5]合谋：共同商议。　[6]张幕：张开帐幕。　[7]虔卜于先君：虔诚地向先君祈祷。　[8]彻幕：撤除帐幕。　[9]发命：发布命令。　[10]“嚣，且”句：是说喧哗而且尘土飞扬。

[11]“将塞”句：是说要填平水井、推平土灶、摆开阵势了。[12]“皆乘”句：是说都上车了，车左和车右又拿着兵器下来了。[13]听誓也：这是听取誓师的号令。[14]战乎：他们要开战吗？[15]战祷：战前祈祷。[16]“伯州”句：是说伯州犁把晋厉公亲兵的情况报告楚共王。[17]“苗贲(bēn)”句：是说苗贲皇站在晋厉公身边，也把楚王亲兵的情况向厉公汇报。苗贲皇，楚人，逃到晋国做大夫。[18]皆：指伯州犁和苗贲皇。[19]“国士”句：是说全国最精锐的部队在那里，而且队形坚厚，不能抵挡。国士，一国中最勇武的将士，指上述的“公卒”和“王卒”。[20]“楚之”句：是说楚军的精兵只是中军的王族亲兵罢了。[21]“请分”句：意思是请分派精兵攻击他们的两翼，而主力集中攻打王族亲兵，一定能大败他们。[22]筮（shì）：用一种草占卜。[23]史：巫师的一种。[24]“其卦”句：意思是占卜得到《复》卦，卦辞说：南国受压迫，射它的首脑，击中他的眼睛。[25]“国蹙”句：国家受压迫、国王受伤，不是失败还是什么？

有淖于前，乃皆左右相违于淖[1]。步毅御晋厉公，栾针为右[2]。彭名御楚共王，潘党为右[3]。石首御郑成公，唐苟为右[4]。栾、范以其族夹公行[5]。陷于淖，栾书将载晋侯[6]。针曰：“书退！国有大任，焉得专之[7]？且侵官，冒也；失官，慢也；离局，奸也[8]。有三罪焉，不可犯也[9]。”乃掀公以出于淖[10]。

注释

[1]“有淖（nào）”句：是说晋军营外有泥潭，所有兵车都或左或右绕开泥潭。淖：泥潭。　[2]步毅、栾针：都是晋国大夫，栾针是栾书的儿子。　[3]彭名、潘党：都是楚国大臣。[4]石首、唐苟：都是郑国大夫。　[5]“栾、范”句：是说栾书、士燮等都带领他们的家兵簇拥着晋厉公前进。　[6]“陷于”句：是说晋厉公的兵车陷进泥潭里，栾书想把厉公转移到自己车上。[7]“书退”句：栾书退后！你有国家重任在肩，怎能独断独行？因为栾书是三军统帅，不应该自己去救人。而栾针情急之下，在国君面前直呼父亲的名字，并不算违礼。　[8]“且侵”句：是说而且越职办事，是冒犯；抛弃职责，是怠慢；离开下属，是违法。[9]“有三”句：是说有三条罪状在那里，不能触犯。　[10]“乃掀”句：是说抬起厉公的车推出泥潭。

癸巳[1]，潘尪之党与养由基蹲甲而射之[2]，彻七札焉[3]。以示王，曰：“君有二臣如此，何忧于战[4]？”王怒曰：“大辱国！诘朝尔射，死艺[5]。”吕锜梦射月，中之，退入于泥[6]。占之，曰：“姬姓，日也；异姓，月也，必楚王也[7]。射而中之，退入于泥，亦必死矣[8]。”及战，射共王中目。王召养由基，与之两矢，使射吕锜，中项，伏弢[9]。以一矢复命[10]。

注释

[1]癸巳：五月二十八日。　[2]潘尪之党：意思是潘尪的

儿子潘党，可能当时有几个叫潘党的，所以写出父亲的名字以作区别。养由基：楚国的神射手。蹲甲：把几件铠甲叠在一起。

[3] 彻：穿透。七札（zhá）：七层甲。 [4]“君有”句：是潘党和养由基向楚共王自夸，意思是君王有我们两个这样的臣子，何需担心交战呢？ [5]“大辱”句：是说真丢国家的脸！明天早上你射箭，就死在你这本事上头！楚共王的意思是大将应该以指挥作战为本事，而不应夸耀武功。以上是补叙开战前一天的事。

[6]“吕锜”句：是说他梦见自己射中月亮，却退到泥里。吕锜，即晋大夫魏锜。 [7] 必楚王也：是说月亮一定象征楚王。

[8]“射而”句:是说你射中楚王，自己又退进泥里，你一定也死掉。

[9]“王召”句:是说楚王赶紧招来养由基，给他两枝箭让他射吕锜，养由基一箭射中吕锜的脖子，倒在弓套上死了。 [10] 以一矢复命:拿着剩下的一支箭复命。以上形容养由基的射术精湛,百发百中。

郤至三遇楚子之卒，见楚子，必下[1]，免胄而趋风[2]。楚子使工尹襄问之以弓[3]，曰:“方事之殷也，有韎韦之跗注，君子也[4]。识见不穀而趋，无乃伤乎[5]？”郤至见客[6]，免胄承命[7]，曰：“君之外臣至从寡君之戎事，以君之灵，间蒙甲胄，不敢拜命[8]。敢告不宁，君命之辱[9]。为事之故，敢肃使者[10]。”三肃使者而退。

注释

[1] 下：下战车。 [2] 免胄而趋风：脱下头盔飞奔而过。

[3]工尹襄：楚国大臣。问之以弓：拿一把弓问候郤至。 [4]“方事”句：是说正当战事紧张之际，那位穿着浅红色军装的是君子啊。韎（mèi）：赤黄色。 [5]“识见”句：刚才看见寡人就奔跑过去，恐怕是受伤了吧？ [6]客：指工尹襄。 [7]承命：接受命令。 [8]“君之”句：是说您的外国臣下郤至随我国君出征，托国君的福，得以披甲上阵，不敢拜受您的慰问。 [9]“敢告”句：是说禀告阁下我没有受伤，承蒙慰问。 [10]“为事”句：意思是因为正是酣战时候，我就作揖答谢吧。

晋韩厥从郑伯[1]，其御杜溷罗曰：“速从之。其御屡顾，不在马，可及也[2]。”韩厥曰：“不可以再辱国君[3]。”乃止。郤至从郑伯，其右茀翰胡曰：“谍辂之，余从之乘，而俘以下[4]。”郤至曰：“伤国君有刑[5]。”亦止。石首曰：“卫懿公唯不去其旗，是以败于荧[6]。”乃内旌于韬中[7]。唐苟谓石首曰：“子在君侧，败者壹大[8]。我不如子，子以君免，我请止[9]。”乃死。

注释

[1]从：追赶。 [2]“其御”句：郑成公的御手屡次回头张望，心思不在马上，可以追上他们。 [3]再辱国君：韩厥曾经在鞌之战抓过假的齐顷公，这次不想再俘虏一个国君。 [4]“谍辂”句：是说派轻兵从小路截击，我追上他的车把他抓下来。 [5]“伤

国”句：是说伤害国君会受到刑罚。 [6]“卫懿”句：是说当年卫懿公因为不愿去掉车上的大旗，因此在荧泽吃了败仗。 [7]“乃内”句：是说把旌旗收进袋子里。 [8]“子在”句：是说您留在国君身边，败军应该一心保护国君。 [9]“我不”句：是说我本事不如您，您带国君逃走，我下车掩护。

楚师薄于险[1]，叔山冉谓养由基曰[2]：“虽君有命，为国故，子必射[3]。”乃射，再发[4]，尽殪[5]。叔山冉搏人以投，中车，折轼[6]。晋师乃止。囚楚公子茷[7]。

注释

[1]薄于险：在险阻地方被晋军逼迫。 [2]叔山冉：楚国力士。 [3]“虽君”句：意思是虽然国君有命令您不能射箭，但是为了国家，您一定要射。 [4]再发：射了两箭。 [5]尽殪（yì）：都射死了。指两箭射死两人。 [6]“叔山”句：是说叔山冉抓住晋兵扔出去，砸中一辆兵车，折断了车前横木。 [7]囚：俘虏。

栾鍼见子重之旌[1]，请曰[2]：“楚人谓夫旌，子重之麾也，彼其子重也[3]。日臣之使于楚也，子重问晋国之勇[4]，臣对曰：‘好以众整[5]。’曰：‘又何如？’臣对曰：‘好以暇[6]。’今两国治戎，行人

不使，不可谓整；临事而食言，不可谓暇[7]。请摄饮焉[8]。”公许之。

注释

[1] 旌：旗帜。各将帅使用的旗帜不同，所以要靠识别。[2] 请：向晋厉公请示。 [3]“楚人”句：是说楚人说那面旌旗是子重的旗子，子重一定在那里。 [4]“日臣”句：是说往日微臣出使楚国，子重问晋国勇武在哪里。 [5] 好以众整：喜欢严密整齐。 [6] 好以暇:喜欢从容不迫。 [7]“今两”句:是说现在两国交兵，使者没有往来，不能算严密整齐；事到临头而不守诺言，不能算从容不迫。 [8] 摄饮：派人代表栾鍼送酒给子重。

使行人执榼承饮[1]，造于子重[2]，曰:“寡君乏使，使鍼御持矛，是以不得犒从者，使某摄饮[3]。”子重曰：“夫子尝与吾言于楚[4]，必是故也[5]。不亦识乎[6]！”受而饮之，免使者而复鼓[7]。

注释

[1] 行人:使者。执榼(kē)承饮:拿酒具装着酒。 [2] 造:到，至。 [3]“寡君”句：是说我国君缺乏使唤的人，让栾鍼持矛护卫，因此不能亲自犒劳您的随从，让我代他送来酒水。[4] 夫子：对栾鍼的尊称。 [5] 必是故：一定是这个缘故。[6] 识：记性好。 [7] 免：释放。复鼓：重新击鼓指挥。

旦而战，见星未已[1]。子反命军吏察夷伤，补卒乘，缮甲兵，展车马，鸡鸣而食，唯命是听[2]。晋人患之。苗贲皇徇曰[3]：“蒐乘、补卒、秣马、利兵、修陈、固列、蓐食、申祷，明日复战[4]！”乃逸楚囚[5]。王闻之[6]，召子反谋。榖阳竖献饮于子反[7]，子反醉而不能见。王曰：“天败楚也夫！余不可以待[8]。”乃宵遁[9]。

注释

[1]“旦而”句：是说太阳出来开始战斗，到星星出来还没分出胜负。　[2]“子反”句：子反命令军士仔细查看伤情，补充步兵和车兵，修理铠甲和兵器，排列战马，鸡叫时候吃早饭，听从命令行事。　[3]徇：通告。　[4]“蒐乘”句：是虚张声势，所以故意放掉楚俘虏回去报信。意思是检阅战车，补充兵员，喂饱战马，磨砺兵器，整顿队伍，巩固行列，饱餐一顿，再次祈祷。明天再战！　[5]逸：放跑，逃脱。　[6]闻之：听说晋军明天要再战。　[7]榖阳竖：子反的家仆。　[8]“余不”句：意思是我不能等着送死。　[9]宵遁：连夜逃跑。

晋入楚军[1]，三日榖[2]。范文子立于戎马之前[3]，曰：“君幼，诸臣不佞，何以及此？君其戒之[4]！《周书》曰：‘惟命不于常’，有德之谓[5]。”

注释

[1]楚军：指楚军逃跑后丢空的军营。 [2]三日穀：吃了三天楚军的军粮。 [3]戎马：指晋厉公的车马。 [4]“君幼”句：国君年幼，群臣没本事，怎么就得了这场胜仗呢？您要警惕啊！ [5]“惟命”句：引文出自《尚书·康诰》。意思是“天命不会永恒不变”，有德行的人才能享有啊。

楚师还，及瑕[1]，王使谓子反曰：“先大夫之覆师徒者，君不在[2]。子无以为过，不穀之罪也[3]。”子反再拜稽首曰：“君赐臣死，死且不朽[4]。臣之卒实奔，臣之罪也[5]。”子重复谓子反曰：“初陨师徒者，而亦闻之矣。盍图之[6]！”对曰：“虽微先大夫有之，大夫命侧，侧敢不义[7]？侧亡君师，敢忘其死[8]？”王使止之，弗及而卒[9]。

注释

[1]瑕：地名。 [2]“先大夫”句：意思是当年子玉在城濮之战损兵折将，楚成王不在军中，所以失败的责任在子玉。 [3]“子无”句：意思是（这次我在军中）您不要认为是自己的过错，那是我的罪过啊。 [4]“君赐”句：是说国君赐下臣一死，死了也永垂不朽。 [5]“臣之”句：是说我的部下的确逃跑了，这是我的罪过。 [6]“初陨”句：意思是说，当初丢了人马的子玉的下场，你也听说过了，何不掂量掂量？子重是要逼子反自杀。 [7]“虽微”句：即使没有子玉的先例，你来命令我，我哪敢做违

背道义的事情？侧，子反的名字。　　[8]“侧亡”句：意思是说，我丢了国君的部队，哪敢不死？　　[9]“王使”句：是说楚共王派人阻止子反自杀，没到他已经死了。

文史链接

鄢陵之战是晋、楚两军最后一次主力决战。晋军大获全胜，再度雄霸中原。然而这对晋国来说并不完全是好消息。

战前，晋国将帅栾书、郤至等人从军事和外交角度分析此战晋军必胜，一边倒主张会战。而士燮更加深谋远虑，他从政治的角度考量，认为近年晋国节节胜利，只剩下楚国是有分量的对手；而眼下国君和大家族之间矛盾尖锐，倘若没有适当的外部压力，势必导致内讧，因此主张回避楚军，以刺激整修内政。这跟美国在苏联瓦解之后到处寻找假想敌的思路如出一辙。结果不出他所料，晋国赢得了战争，却输掉了国运，此后两年政变频频，大家族郤氏被灭，晋厉公被杀。

晋军的战术在春秋时代最高明，此战他们又发明了在营内布阵、奇兵突出的战法，并且沿用城濮之战的经验，先集中优势兵力突击敌较弱的两翼，致使楚军全线败退。当然楚帅子反醉酒误事也是关键因素。

思考讨论

1. 楚国战败之后，常有军帅被迫自杀，而晋国却不是这样。请归纳本书中相关事例，分析原因，讨论其对国内政治的不同影响。

2. 晋国大夫士燮在鄢陵之战多次陈述“反对开战”，请结合本文与《国语·晋语八》的记述，谈谈你对这种“攘外必先安内”观点的看法。

第六章 襄 公

晋灭偪阳

（襄公十年）

晋荀偃、士匄请伐偪阳[1]，而封宋向戌焉[2]。荀䓨曰[3]："城小而固，胜之不武，弗胜为笑[4]。"固请[5]。

注释

[1]荀偃、士匄：都是晋国大臣，士匄即范匄。偪（fù）阳：国名，在今江苏邳州西北。 [2]向戌：宋国大夫。宋国一向亲附晋国，这次荀偃等想攻下偪阳送给向戌做封地，进一步拉拢宋国。 [3]荀䓨：即知䓨，晋国中军主帅。 [4]"城小"句：意思是偪阳城虽然小但是很坚固，胜了不算本事，不胜就会被人耻笑。 [5]固请：荀偃等坚持请求攻打。

丙寅[1]，围之，弗克[2]。孟氏之臣秦堇父辇重如役[3]。偪阳人启门，诸侯之士门焉[4]。县门发，郰人纥抉之，以出门者[5]。狄虒弥建大车之轮，而蒙之以甲，以为橹[6]。左执之，右拔戟，以成一队[7]。

孟献子曰[8]：“《诗》所谓‘有力如虎’者也[9]。”主人县布，堇父登之，及堞而绝之[10]。队，则又县之，苏而复上者三[11]。主人辞焉，乃退[12]。带其断以徇于军三日[13]。

注释

[1]丙寅：四月九日。　[2]弗克：没攻下来。　[3]孟氏之臣：鲁国的大家族孟孙氏的家臣。輂（niǎn）重如役：拉着辎重车辆来到战场。　[4]门：攻打城门。　[5]“县门”句：是说诸侯士兵攻进城门后，闸门突然放下，叔梁纥撑起闸门，让攻门士兵逃出去。县门，即“悬门”，闸门，用于城门被攻破后放下来截断入侵者的后路。郰（zōu）人纥（hé），即叔梁纥，孔子的父亲。　[6]“狄虒（sī）”句：是说狄虒弥竖起大车的轮子，蒙上牛皮，把它当盾牌使。狄虒弥，鲁国人。　[7]“左执”句：是说狄虒弥左手举着盾牌，右手操戟，仿佛自成一队步兵。

[8]孟献子：孟孙氏的族长。　[9]有力如虎：像老虎那样力大无穷。　[10]“主人”句：是说偪阳人从城头垂下一匹布，秦堇（jǐn）父攀着布条爬上去，爬到城垛的时候被城头的人割断布条。

[11]“队，则”句：是说秦堇父掉下来，城上又把布条放下来，秦堇父醒过来又爬上去，如是者三次。　[12]“主人”句：是说守城人向秦堇父致敬，他这才退回本阵。　[13]“带其”句：是说秦堇父把断布条缠在腰上在军中游行了三天。

诸侯之师久于偪阳，荀偃、士匄请于荀罃曰[1]：

“水潦将降，惧不能归，请班师[2]。”知伯怒，投之以机，出于其间[3]，曰：“女成二事，而后告余[4]。余恐乱命，以不女违[5]。女既勤君而兴诸侯，牵帅老夫以至于此，既无武守，而又欲易余罪[6]，曰：‘是实班师。不然，克矣[7]。’余羸老也，可重任乎[8]？七日不克，必尔乎取之[9]！”

注释

[1]请：请示。　[2]“水潦”句：是说雨季就要到了，担心不能如期回国，请撤军。　[3]“知伯”句：是说荀䓨大怒，举起小案桌砸他们，案桌从两人中间飞过。知伯，即荀䓨。　[4]“女成”句：是说你们把攻下偪阳和封给向戌这两件事办完再来禀报我。[5]“余恐”句：是说我当初是怕军令混乱，所以不反对你们攻打偪阳。[6]“女既”句：是说你们既然劳烦了国君又发动了诸侯，连累老夫到这个地步，既不坚持进攻，又想给我安个罪名。　[7]“是实”句：是说都怪元帅撤兵，不然早把偪阳打下来了。　[8]“余羸”句：我年纪大身体不好了，还担得起这样重的罪责吗？　[9]“七日”句：是说七天打不下来，要你们的脑袋！

五月庚寅[1]，荀偃、士匄帅卒攻偪阳，亲受矢石[2]，甲午[3]，灭之。书曰“遂灭偪阳”，言自会也[4]。以与向戌[5]。向戌辞曰：“君若犹辱镇抚宋国，而以偪阳光启寡君，群臣安矣，其何贶如之[6]！

若专赐臣，是臣兴诸侯以自封也，其何罪大焉[7]！敢以死请[8]。”乃予宋公[9]。

注释

[1]庚寅：五月四日。　[2]亲受矢石：亲自冲锋陷阵。　[3]甲午:八日。　[4]“书曰”句:是对《春秋》的解释,意思是《春秋》记载“于是灭了偪阳”,这是讲诸侯是在盟会之后发兵的。　[5]与:给。　[6]“君若”句：意思是您如果仍然安抚宋国，而用偪阳扩大我国君的领土，我宋国大臣就安心了，还有什么比得上这样的馈赠呢！　[7]“若专”句：是说如果特地赐给微臣，那就是我发动诸侯来求自己的封地,有什么比这罪过更大的呢！　[8]敢以死请:斗胆拼死请求。　[9]宋公：宋平公。

文史链接

晋国跟楚国正面交锋无数，没有占到多少上风，于是采用了楚国叛逃过来的大臣申公巫臣的建议，跑去扶持楚国东南的吴国，不断骚扰它的边境,分散楚人的兵力,使它不能全力北上中原争霸。偪阳在今天的徐州附近，是南下吴国的要冲。这场攻坚战，就是为了打通联络吴国的交通线而展开的，跟抗战时期著名的徐州会战的战略意义相似。

偪阳是个小国，可是巨无霸似的晋国带着十一国联军，居然围攻了一个月才勉强攻克。这固然由于偪阳人众志成城，联军仓促上阵，也可见当时攻城是难度极大的战法。所以《孙子兵法》把攻城看作最次的用兵之道。

鲁国的两个勇士在此战扬名，一个是攀着布条奋勇登城的秦堇父，一个是徒手托起闸门的叔梁纥——他就是孔子的父亲。

思考讨论

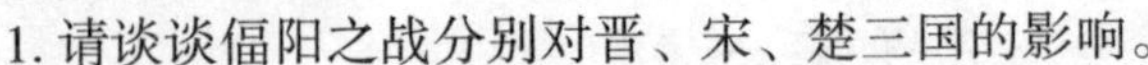

1. 请谈谈偪阳之战分别对晋、宋、楚三国的影响。

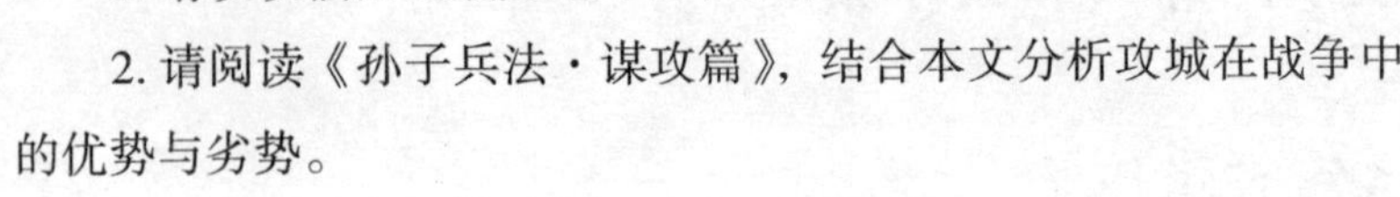

2. 请阅读《孙子兵法·谋攻篇》，结合本文分析攻城在战争中的优势与劣势。

子罕以不贪为宝

（襄公十五年）

宋人或得玉[1]，献诸子罕[2]。子罕弗受。献玉者曰："以示玉人，玉人以为宝也，故敢献之[3]。"子罕曰："我以不贪为宝，尔以玉为宝[4]。若以与我，皆丧宝也，不若人有其宝[5]。"稽首而告曰："小人怀璧，不可以越乡，纳此以请死也[6]。"子罕置诸其里，使玉人为之攻之，富而后使复其所[7]。

注释

[1] 或：有人。　[2] 子罕：宋国的执政。　[3]"以示"句：是说我把这块玉给玉工看过，他们都认为是宝贝，所以才敢献给您。　[4]"我以"句：是说我把不贪心看作宝贝，你把玉看成宝贝。　[5]"若以"句：是说如果你把玉给了我，那么我俩都失去了自己的宝贝，不如各自保存自己的宝贝吧。　[6]"小人"句：是说小人

怀藏宝玉，是没法穿越乡里的（担心被谋财害命），所以献给您以求保命。 [7]“子罕”句：是说子罕把这个人安顿在自己的乡里，让玉工给他琢磨这块玉，卖了好价钱之后让他带着钱回家。

文史链接

子罕是宋国有名的贤相，这一段记载的是他清廉的故事。

玉在古代不仅是价值连城的宝贝，比如“和氏璧”；更是祭祀时候贵重的礼器，比如外方内圆、象征天地的琮（cóng）；它还是君子品格的象征，诸如“玉洁冰清”、“宁为玉碎，不为瓦全”等成语，都用玉来比喻人格的清高和坚贞。

这一篇小故事，寓意相当明白，不用解释了。耐人寻味的是宋人用来贿赂的玉和子罕的清廉，在品格上恰好形成了对应的比拟关系，互相映射，加倍突出了子罕的高风亮节。

思考讨论

1.“玉”在中国传统文化中有着独特的地位，所谓“黄金有价玉无价”，你读过这方面的诗文吗？请谈谈中国人喜爱玉并以玉承载美好含义的原因。

2. 用某种物品来比拟道德，这种比喻方式叫“比德”。你能举出几个常用来“比德”的事物吗？它们通常象征何种品德？

齐晋平阴之战

（襄公十八年）

冬十月，会于鲁济[1]，寻湨梁之言[2]，同伐齐。齐侯御诸平阴，堑防门而守之，广里[3]。夙沙卫曰[4]：“不能战，莫如守险[5]。”弗听。诸侯之士门焉[6]，齐人多死。范宣子告析文子[7]，曰：“吾知子，敢匿情乎？鲁人、莒人皆请以车千乘自其乡入，既许之矣[8]。若入，君必失国。子盍图之[9]！”子家以告公[10]。公恐。晏婴闻之[11]，曰：“君固无勇，而又闻是，弗能久矣[12]。”

注释

[1]鲁济：济水在鲁国的一段。　[2]寻：重温。湨（jú）梁：湨水边上的堤岸，在河南济源旧县城东南。言：盟誓。　[3]“齐侯”句：是说齐灵公在平阴派兵抵御，在防门挖了条壕沟，宽一里。齐侯，齐灵公。平阴，齐国地名，在今山东平阴东北。防门，地名，在今平阴东北。　[4]夙（sù）沙卫：齐灵公的宠臣。　[5]守险：坚守险要。　[6]门：攻打城门。　[7]范宣子：即士匄。析文子：齐国大夫子家。　[8]“吾知”句：我了解您，哪敢瞒着您？鲁国、莒（jǔ）国都要求派一千辆兵车从他们国家的方向进攻齐国，我已经答应了。　[9]“若入”句：如果攻进去，您的国家就完了。您何不打算一下？　[10]公：指齐灵公。　[11]晏婴：齐国大夫。

[12]“君固”句：是说国君本来就没胆量，又听说这消息，坚持不了多久了。

齐侯登巫山以望晋师[1]。晋人使司马斥山泽之险，虽所不至，必旆而疏陈之[2]。使乘车者左实右伪，以旆先，舆曳柴而从之[3]。齐侯见之，畏其众也，乃脱归[4]。

注释

[1]巫山：山名，在今平阴东北。　[2]“晋人”句：是说晋军派遣军官克服山川险阻，即使军队不能到达的地方，也零星竖起大旗。司马，掌管军务的官员。　[3]“使乘”句：是说晋军兵车上车左是真人，车右放假人，竖起大旗在前引领，车厢后面拖着树枝跟着跑。　[4]“齐侯”句：是说齐灵公看见晋军的阵势，害怕他们的声势浩大，于是独自离开齐军逃跑。

丙寅晦[1]，齐师夜遁[2]。师旷告晋侯曰[3]：“鸟乌之声乐，齐师其遁[4]。”邢伯告中行伯曰[5]：“有班马之声[6]，齐师其遁。”叔向告晋侯曰[7]：“城上有乌，齐师其遁。”

注释

[1]丙寅晦：十月二十九日。　[2]遁：逃跑。　[3]师旷：

晋国的盲人乐师。晋侯：晋平公。 [4]“乌乌”句：师旷是说，乌鸦的声音很欢快，齐军可能逃跑了。 [5]邢伯：晋国大夫。中行伯：即荀偃，晋国中军元帅。 [6]班马之声：马匹远去的声音。 [7]叔向：晋国大夫。

十一月丁卯朔[1]，入平阴，遂从齐师[2]。夙沙卫连大车以塞隧而殿[3]。殖绰、郭最曰[4]：“子殿国师，齐之辱也。子姑先乎[5]！”乃代之殿[6]。卫杀马于隘以塞道[7]。晋州绰及之，射殖绰，中肩，两矢夹脰[8]，曰：“止，将为三军获；不止，将取其衷[9]。”顾曰：“为私誓[10]。”州绰曰：“有如日[11]！”乃弛弓而自后缚之[12]。其右具丙亦舍兵而缚郭最，皆衿甲而缚，坐于中军之鼓下[13]。

注释

[1]丁卯朔：十一月一日。 [2]从：追击。 [3]“夙沙卫”句：是说夙沙卫把大车连起来塞住山间小路，自己殿后。 [4]殖绰、郭最：都是齐国大夫。 [5]“子殿”句：意思是您给国家的军队殿后，是齐国的耻辱。你先撤吧！夙沙卫是内侍，所以被瞧不起。 [6]“乃代”句：是说他们代替夙沙卫殿后。 [7]“卫杀”句：是说夙沙卫在窄路上杀掉马堵塞道路。因此殖绰、郭最才被晋军追上。 [8]“晋州”句：是说州绰追上殿后的齐军，放箭射殖绰，射中两肩，两枝箭夹着脖子。州绰，晋国猛将。

[9]“止，将”句：是说停下来，你就做我军的俘虏；不停下来，就射你的心窝。　[10]“顾曰”句：是说殖绰回头说：“你我之间起个誓。”　[11]有如日：意思是听凭太阳神处罚！　[12]“乃弛”句：是说州绰松开弓弦，反绑殖绰。　[13]“其右”句：是说州绰的车右具丙也放下兵器绑住郭最，跟殖绰一块穿着盔甲反绑着，坐在中军的鼓下面。

晋人欲逐归者，鲁、卫请攻险[1]。己卯[2]，荀偃、士匄以中军克京兹[3]。乙酉[4]，魏绛、栾盈以下军克邿[5]；赵武、韩起以上军围卢[6]，弗克。

注释

[1]“晋人”句：是说晋军想追齐国逃兵，鲁军、卫军请求攻打险要。　[2]己卯：十三日。　[3]以：率领。京兹：齐国地名，在今平阴东南。　[4]乙酉：十九日。　[5]魏绛（jiàng）、栾盈：都是晋国大夫。邿（shī）：在今平阴西。　[6]赵武、韩起：都是晋国大夫。卢：在今山东长清东南。

十二月戊戌[1]，及秦周[2]，伐雍门之萩[3]。范鞅门于雍门[4]，其御追喜以戈杀犬于门中；孟庄子斩其橁以为公琴[5]。己亥[6]，焚雍门及西郭、南郭[7]。刘难、士弱率诸侯之师焚申池之竹木[8]。壬寅[9]，焚东郭、北郭，范鞅门于扬门[10]。州绰门于东闾，左

骖迫，还于东门中，以枚数阖[11]。齐侯驾[12]，将走邮棠[13]。太子与郭荣扣马[14]，曰："师速而疾，略也。将退矣，君何惧焉[15]？且社稷之主不可以轻，轻则失众[16]。君必待之[17]！"将犯之[18]。太子抽剑断鞅[19]，乃止。甲辰[20]，东侵及潍，南及沂[21]。

注释

[1]戊戌：二日。 [2]秦周：在齐都城临淄（zī）的外围。[3]雍门：临淄的西门。萩（qiū）：楸树。 [4]范鞅：士匄的儿子。[5]"孟庄子"句：是说孟庄子砍下雍门外的橁树给鲁襄公造了一张琴。孟庄子，鲁国孟孙氏的族长。橁（chūn），树木名，是造琴的好材料。[6]己亥：三日。 [7]郭：外城。 [8]刘难、士弱：都是晋国大夫，士弱是士渥浊的儿子。申池：临淄城南申门外的水塘。[9]壬寅：六日。 [10]扬门：临淄的西北门。 [11]"州绰"句：是说州绰攻打东门，左边的战马受到挤迫不能前进，在东门门洞里盘旋了很久，以至于州绰有时间用马鞭数清楚门板上的门钉。东闾（chāng），东门。 [12]驾：驾好马车。 [13]走：逃往。邮棠：大约在今山东平度东南。 [14]太子：公子光，即后来的齐庄公。郭荣：齐国大夫。扣马：牵住马。 [15]"师速"句：诸侯的军队行动迅速、攻击奋勇，是来掠夺的。他们马上就会撤退了，何必害怕呢？ [16]"且社"句：是说况且一国之君不可以轻举妄动，轻举妄动就会失去民众。 [17]待之：等待敌军撤退。[18]将犯之：是说齐灵公试图硬冲过去。 [19]断鞅：砍断马颈上的皮带。这样马就无法牵引车辆了。 [20]甲辰：八日。[21]潍、沂：齐国境内的河流名，即现在的潍河、沂河。

文史链接

两年前晋国召集诸侯在溴梁会盟，齐国的使者表现出不合作的态度，于是今年晋国纠集了十几个国家的联军共同讨伐齐国。

晋军的智谋和骁勇在平阴一战中再次闪光。首先是交锋之前，在各险要地段遍插旌旗，在每辆战车上只安排两名而不是三名武士，以增加战车数量，又在战车后面拖上树枝来回奔跑。这些虚张声势的举动果然奏效，齐军不战而逃。

这一仗最出风头的当属晋将州绰。先是两箭射下齐将殖绰，逼得殖绰要他发誓不杀自己才敢投降；接着是冲到齐都城的城门底下，居然有闲暇数清楚门板上的门钉。仗着这等武功，州绰在二年后逃亡齐国时，才敢当面耻笑殖绰、郭最这两位齐庄公的“大内高手”，顺便创造了“食肉寝皮”这个成语。

思考讨论

1. 请总结晋军在平阴之战中的战术特点。

2. 作者在篇中简洁生动地描写了晋将州绰在此役中的表现。谈谈你对他的看法。

张骼、辅跞挑战楚军

（襄公二十四年）

冬，楚子伐郑以救齐[1]，门于东门[2]，次于棘泽[3]。诸侯还救郑。晋侯使张骼、辅跞致楚师[4]，求御于郑[5]。郑人卜宛射犬，吉[6]。子大叔戒之曰[7]："大国之人不可与也[8]。"对曰："无有众寡，其上一也[9]。"大叔曰："不然。部娄无松柏[10]。"二子在幄，坐射犬于外；既食，而后食之[11]。使御广车而行，己皆乘乘车[12]。将及楚师，而后从之乘，皆踞转而鼓琴[13]。近，不告而驰之[14]。皆取胄于櫜而胄，入垒，皆下，搏人以投，收禽挟囚[15]。弗待而出[16]。皆超乘，抽弓而射[17]。既免，复踞转而鼓琴[18]，曰："公孙！同乘，兄弟也，胡再不谋[19]？"对曰："曩者志入而已，今则怯也[20]。"皆笑，曰："公孙之亟也[21]！"

注释

[1]楚子：楚康王。 [2]东门：指郑国国都的东门。 [3]次：驻扎。棘泽：郑国地名，在今河南新郑东南。 [4]晋侯：晋平公。张骼、辅跞（lì）：都是晋国将官。致楚师：前往楚军挑战。 [5]求御于郑：向郑国请求御手。 [6]"郑人"句：是说郑国人占卜宛射犬做御手，结果显示"吉利"。 [7]子大叔：郑国大臣游吉。戒：告诫。 [8]"大国"句：意思是大国的人不能跟他们平起平坐。 [9]"无有"句：意思是无论兵多兵少，御手地位总是在车左和车右之上。 [10]"部娄"句：是说小土丘长不出松柏。意思是小国不能跟大国相比。 [11]"二子"句：张骼、辅跞在帐篷里头，让宛射犬坐在帐外，两人吃完饭，才给宛射犬吃。 [12]"使御"句：是说两人让宛射犬驾

冲锋车出发，自己坐着普通车前进。　[13]“将及”句：是说快到楚军阵前了，两人才登上宛射犬的车，都蹲在车后横木上弹琴。　[14]“近，不”句：意思是靠近楚军了，宛射犬没通知两人就飞车冲入楚营。　[15]“皆取”句：是说张、辅二人都从布袋里取出头盔戴上，在车冲进楚军营垒之后，一起跳下车，搏斗中抓起对手扔向敌兵，然后捆好俘虏夹在腋下。　[16]弗待而出：宛射犬不等两人上车就驾车离开楚营。　[17]“皆超”句：是说两人一起跳上车，取出弓箭回射追兵。　[18]“既免”句：是说脱险之后，两人又蹲在车后横木上弹琴。　[19]“公孙”句:我们同乘一辆车，就是兄弟，为什么两次不打招呼就跑?公孙，宛射犬。　[20]“曩者”句：是说前一次是一心冲进去，这次是害怕了。　[21]“公孙”句：意思是公孙真是个急性子啊！两人知道宛射犬有心报复吃饭时受到的轻慢，所以故意这样说，给他下台阶。

文史链接

春秋时代打仗的一个程序，就是两军正式开打之前，派出猛将前往敌阵挑战，冲杀一气，打探对手的虚实，同时壮大自己的军威。这次棘泽之战，晋军方面的张骼、辅跞就摊上了这个任务。

这段文字的精彩之处，一是它的戏剧化处理方式，像气氛的控制，本应紧张的冲锋陷阵时刻，两个将官显得从容淡定，弹琴自若；杀入楚营之后，则如虎入羊群，横冲直撞。场面和情绪一张一弛，一刚一柔，晋军的勇武气概跃然纸上。二是用心理推进情节，宛射犬受了张骼、辅跞的轻视，驾车的时候就故意使坏，然而越紧迫突然，越给了两人大展拳脚的机会，场面也越是刺激。最后的一笑而过，又显出张、辅二人的豁达。

思考讨论

1. 谈谈张骼、辅跞与宛射犬三个人物的性格，他们在挑战前后的关系有何变化？

2. 请用第一人称的口吻分别叙述张、辅二人以及宛射犬在这次任务过程中的心理活动。

崔杼弑齐庄公

（襄公二十五年）

齐棠公之妻[1]，东郭偃之姊也。东郭偃臣崔武子[2]。棠公死，偃御武子以吊焉[3]。见棠姜而美之[4]，使偃取之[5]。偃曰："男女辨姓，今君出自丁，臣出自桓，不可[6]。"武子筮之[7]，遇《困》之《大过》[8]。史皆曰"吉"[9]。示陈文子[10]，文子曰："夫从风，风陨妻，不可娶也[11]。且其繇曰[12]：'困于石，据于蒺梨，入于其宫，不见其妻，凶[13]。'困于石，往不济也；据于蒺梨，所恃伤也；入于其宫，不见其妻，凶，无所归也[14]。"崔子曰："嫠也，何害？先夫当之矣[15]。"遂取之。

注释

[1]齐棠公：齐国棠邑的地方官。 [2]“东郭”句：是说东郭偃是崔杼（zhù）的家臣。崔武子，崔杼。 [3]“棠公”句：是说齐棠公去世后，东郭偃驾车送崔杼前往吊唁。 [4]棠姜：齐棠公的妻子。美之：觉得她很美。 [5]取：同“娶”。 [6]“男女”句：讲的是当时婚姻的一些禁忌，意思是男女结婚要区别姓氏，同姓不能结婚，您是齐丁公的后裔，我是齐桓公的后裔，都是姜姓，你不能娶我姐姐。 [7]筮：占卜。 [8]《困》、《大过》：都是《易经》的卦名。 [9]史：主管占卜的官员。 [10]陈文子：齐国大夫。 [11]“夫从”句：是对卦象的解释，意思是丈夫跟从风，风吹落妻子，不能娶啊。 [12]繇（zhòu）：解释卜卦的文句。 [13]“困于”句：意思是围困在石头堆，据守在荆棘丛，进入房屋，不见妻子，凶。 [14]“困于”句：意思是围困在石头堆，表示前去不能成功；据守在荆棘丛，表示被所依靠的人伤害；进入房屋，不见妻子，凶，表示没有好下场啊。 [15]“嫠也”句：棠姜一个寡妇有什么妨碍？何况她死去的丈夫已经应验这个凶兆了。

庄公通焉，骤如崔氏，以崔子之冠赐人[1]。侍者曰：“不可。”公曰：“不为崔子，其无冠乎[2]？”崔子因是，又以其间伐晋也，曰：“晋必将报[3]。”欲弑公以说于晋，而不获间[4]。公鞭侍人贾举，而又近之，乃为崔子间公[5]。

第六章 襄公

注释

[1]“庄公”句：是说齐庄公跟棠姜通奸，经常去崔杼家，还拿崔杼的帽子赏赐给别人。　[2]“不为”句：意思是不拿崔先生的帽子，难道就没有帽子了吗？　[3]“崔子”句：是说崔杼因为这件事，加上齐庄公前年攻打晋国，说：“晋国一定会来报仇的。”　[4]“欲弑”句：是说崔杼想杀了齐庄公来取悦晋国，但是没找到机会。　[5]“公鞭”句：是说齐庄公曾经鞭打仆人贾举，后来又亲近他，于是贾举替崔杼寻找刺杀庄公的机会。

夏，五月，莒为且于之役故[1]，莒子朝于齐[2]。甲戌，飨诸北郭，崔子称疾，不视事[3]。乙亥，公问崔子，遂从姜氏[4]。姜入于室，与崔子自侧户出[5]。公拊楹而歌[6]。侍人贾举止众从者而入，闭门[7]。甲兴，公登台而请，弗许；请盟，弗许；请自刃于庙，弗许[8]。皆曰：“君之臣杼疾病，不能听命[9]。近于公宫，陪臣干掫有淫者，不知二命[10]。”公逾墙，又射之，中股，反队，遂弑之[11]。贾举、州绰、邴师、公孙敖、封具、铎父、襄伊、偻堙皆死[12]。祝佗父祭于高唐，至复命，不说弁而死于崔氏[13]。申蒯，侍渔者，退，谓其宰曰：“尔以帑免，我将死[14]。”其宰曰：“免，是反子之义也[15]。”与之皆死[16]。崔氏杀鬷蔑于平阴[17]。

注释

[1]莒：国名。且于之役：去年发生在齐、莒之间的战役。[2]莒子：莒国的国君。 [3]“甲戌”句：在城北设宴招待莒子，崔杼推说生病了，不管事。甲戌，十六日。 [4]“乙亥”句：庄公前往慰问崔杼，顺便勾搭棠姜。乙亥，十七日。 [5]“姜入”句：是说棠姜进了内室，跟崔杼从侧门出去。 [6]拊楹（fǔ yíng）：拍着柱子。 [7]“侍人”句：是说内侍贾举把庄公的随从拦在门外，自己进去，关上门。 [8]“甲兴”句：伏兵一涌而出，齐庄公登上高台请求饶命，没同意；请求订立盟誓，也没同意；请求到祖庙自杀谢罪，还是没同意。 [9]“君之”句：是伏兵说的，意思是您的大臣崔杼病重，不能亲自听您的命令。 [10]“近于”句：是说这里靠近国君的宫殿，我们奉命巡夜抓捕淫乱的人，不管其他。[11]“公逾”句：是说庄公翻墙想逃跑，伏兵又向他放箭，射中大腿，掉了下来，于是杀了庄公。 [12]“贾举”等八人都是庄公的侍卫勇士。 [13]“祝佗（tuó）”句：祝佗父到高唐祭祀，回来复命，来不及脱掉祭祀的帽子就战死在崔家。佗父，齐国大夫。高唐，地名，在今山东高唐东。 [14]“申蒯（kuǎi）”句：是说申蒯是个监收渔业税的官员，回到家，对他的管家说：“你把我的家小带走，我准备一死了。” [15]“免，是”句：意思是我要是走掉，就违背了您为国君殉难的道义。 [16]皆：同“偕”，一起。 [17]鬷（zōng）蔑：齐国大夫。

晏子立于崔氏之门外[1]，其人曰[2]：“死乎[3]？”曰：“独吾君也乎哉，吾死也[4]？”曰：“行乎[5]？”曰：“吾罪也乎哉，吾亡也[6]？”曰：“归乎[7]？”曰：“君

死，安归？君民者，岂以陵民？社稷是主[8]。臣君者，岂为其口实，社稷是养[9]。故君为社稷死，则死之；为社稷亡，则亡之[10]。若为己死，而为己亡，非其私昵，谁敢任之[11]？且人有君而弑之，吾焉得死之？而焉得亡之？将庸何归[12]？”门启而入，枕尸股而哭，兴，三踊而出[13]。人谓崔子必杀之[14]。崔子曰：“民之望也，舍之，得民[15]。”

注释

[1]晏子：晏婴。　[2]其人：指晏婴的手下。　[3]死乎：殉难吗？　[4]“独吾”句：庄公是我一个人的国君吗？我要殉难？　[5]行：逃走。　[6]“吾罪”句：杀君是我的罪过吗？我要逃走？　[7]归：回家。　[8]“君死”句：国君死了，我回哪去？作为百姓的君主，难道要凌驾在百姓头上？是要主持国家大政啊。　[9]“臣君”句：作为君主的臣下，难道是为了糊口谋生？是为了奉养国家啊。　[10]“故君”句：所以国君为国家而死，臣下就为他殉难；他为国家而逃亡，臣下就逃亡。[11]“若为”句：如果国君因为私欲而死，为了私欲而逃亡，不是他的亲信，谁会承担殉难、逃亡的责任？　[12]“且人”句：况且别人得到国君信任却杀了他，我怎能殉难？又怎能逃亡？又能回到哪里呢？　[13]“门启”句：崔家大门打开之后，晏婴进去，枕在庄公尸体的大腿上痛哭，站起来跳了三次之后然后离开。[14]“人谓”句：有人告诉崔杼一定要杀掉晏婴。　[15]“民之”句：晏子是百姓所敬仰的人，放了他可以得民心。

卢蒲癸奔晋，王何奔莒[1]。

注释

[1] 卢蒲癸、王何：齐庄公的宠臣。

叔孙宣伯之在齐也，叔孙还纳其女于灵公，嬖，生景公[1]。丁丑[2]，崔杼立而相之，庆封为左相，盟国人于大宫[3]，曰："所不与崔、庆者[4]——"晏子仰天叹曰："婴所不唯忠于君、利社稷者是与，有如上帝[5]！"乃歃[6]。辛巳[7]，公与大夫及莒子盟[8]。

注释

[1] "叔孙"句：是说叔孙侨如在齐国的时候，叔孙还把侨如的女儿献给齐灵公，受宠，生了齐景公。叔孙宣伯，流亡在齐国的鲁国大夫叔孙侨如。叔孙还，齐国公子。　[2] 丁丑：十九日。[3] "崔杼"句：是说崔杼立齐景公为新国君，自己做了首相，庆封当了左相，在姜太公的神庙与国人结盟。　[4] "所不"句：话没说完，晏婴就插嘴了。与，同意。　[5] "婴所"句：是说我晏婴要是不同意忠于国君、为国家谋利的人，听凭上帝的处罚！[6] 歃（shà）：古人盟会时，喝少许牲口的血，或含在口中，或涂在嘴旁，以示信守誓言的诚意。　[7] 辛巳：二十三日。[8] 公：齐景公。

大史书曰[1]：“崔杼弑其君。”崔子杀之。其弟嗣书[2]，而死者二人[3]。其弟又书，乃舍之[4]。南史氏闻大史尽死[5]，执简以往[6]。闻既书矣，乃还[7]。

注释

[1]大史：太史，史官。书：指记载下来。 [2]嗣书：接着这样写。 [3]死者二人：指太史的弟弟同样因为如实记录被杀。 [4]舍之：指放了第二个弟弟。 [5]南史氏：另一位史官。[6]执简以往：拿着木简前来，准备接着写。 [7]“闻既”句：是说听说已经如实记录了，这才回去。

文史链接

春秋时期，国君和大家族之间的权力争夺非常激烈，这回崔杼杀齐庄公是其中典型的案例。

这起事件中，最出彩的不是杀人犯和受害者，而是以矮小机智闻名的晏婴。他在崔家门口“逃还是不逃”的对白，在盟会上公然对抗崔杼的誓词，都大大增添了他作为“贤相”的道德光彩。

崔杼遭到后人的唾骂，固然因为他以下犯上，触犯了纲常；更重要的原因是他杀掉了敢于记录真相的史官，这让以舆论监督为己任的知识分子相当愤怒。枪杆子只能夺去一次人的生命，笔杆子却可以让罪人遭受无数遍的道德惩罚，崔杼就是极好的反面典型。前赴后继、以身殉职的两位无名史官也因此把自己写进了历史。

思考讨论

1. 在这起弑君事件中，晏子的表现跟后代所谓“忠臣”的标准很不相符，你能指出他的不同之处吗？

2. 史书的真实可信度为后人了解前史与治学研究的重要前提，你认为怎样的史书才能称为“信史”？怎样读史书才能了解“历史真相”？

子产不毁乡校

（襄公三十一年）

郑人游于乡校[1]，以论执政。

注释

[1] 游：游逛。乡校：郑国的国立学校。

然明谓子产曰[1]：“毁乡校，何如？”子产曰：“何为？夫人朝夕退而游焉，以议执政之善否[2]。其所善者，吾则行之；其所恶者，吾则改之，是吾师也[3]。若之何毁之[4]？我闻忠善以损怨，不闻作威以防怨[5]。岂不遽止？然犹防川。大决所犯，伤人必多，吾不克救也[6]。不如小决使道，不如吾闻而药之也[7]。”然明曰：“蔑也今而后知吾子之信可事也[8]。小人实不才，若果行此，其郑国实赖之，岂唯二三臣[9]？”

注释

[1]然明：郑国大夫。 [2]“何为”句：为什么？人们每天办完事到那里游玩，议论政治的好坏。 [3]“其所”句：是说他们喜欢的，我就执行；他们讨厌的，我就改正，他们是我的老师啊。 [4]若之何：为什么。 [5]“我闻”句：我听说过忠诚行善以消除怨恨，没听说过制造权威来防范怨恨。[6]“岂不”句：难道不应该马上制止怨恨吗？但是这个问题就好比防止洪水，大缺口造成的侵害，一定伤害很多人，我是没法去救的。 [7]“不如”句：是说（对洪水）不如开个小缺口加以疏导,（对怨恨）不如我了解民意之后治疗自己的毛病。 [8]“蔑也”句：是说我从今往后相信您确实是值得事奉的。蔑，然明的名字。 [9]“小人”句：是说我真没什么本事，可要是真正实行您的主张，郑国就有希望了，不单单是几个大臣得益啊。

仲尼闻是语也[1]，曰：“以是观之，人谓子产不仁，吾不信也[2]。”

注释

[1]仲尼：孔子的字。是语：这些话。 [2]“以是”句：是说由这件事来看，人家说子产不仁慈，我就不相信了。

文史链接

子产

子产是春秋后期郑国的名相，称得上春秋时期数一数二的政治家。他把法律条文铸在大鼎上公之于众，颁布了我国最早的成文法；他又承认私田的合法性，采用按土地征收军税的“丘赋”制度。这些“制度创新”的举措，加上诸侯“停战大会”之后相对和平的外交环境，使得积弱多年的郑国得以回光返照。

这一篇的内容，表现的是子产对社会舆论的开明态度。所谓“广开言路”、“兼听则明”、“有则改之，无则加勉”这些政治格言，在子产这篇言论里都得到了生动的体现。生当21世纪的我们，回看25个世纪以前古代政治家对于民众批评所表现出来的光明磊落、宽容豁达，怎能不对后来的专制钳制感慨万千？

思考讨论

1. 除了本文提到的乡校，你还知道古代有哪些类型的学校？都有哪些名称？

2. 中国的政治统治中一直贯穿着“民本”思想。请从《左传》、《尚书》、《国语》中查找十条有关这一思想的名言，并加以解读。

第七章　昭　公

郑子南与子皙争聘

（昭公元年）

郑徐吾犯之妹美[1]，公孙楚聘之矣[2]，公孙黑又使强委禽焉[3]。犯惧，告子产[4]。子产曰："是国无政，非子之患也。唯所欲与[5]。"犯请于二子，请使女择焉[6]。皆许之[7]。子皙盛饰入，布币而出[8]。子南戎服入，左右射，超乘而出[9]。女自房观之，曰："子皙信美矣，抑子南，夫也[10]。夫夫妇妇，所谓顺也[11]。"适子南氏[12]。子皙怒，既而橐甲以见子南，欲杀之而取其妻[13]。子南知之，执戈逐之，及冲，击之以戈[14]。子皙伤而归，告大夫曰："我好见之，不知其有异志也，故伤[15]。"

注释

[1]徐吾犯：郑国大夫。　[2]公孙楚、公孙黑：都是郑国贵族。聘：订婚。　[3]强：强行。委禽：指送聘礼。　[4]"犯惧"句：

是说徐吾犯害怕了，把这事告诉子产。 [5]“是国”句：是说这是国家政治混乱，不是你的错误，你妹妹想嫁给谁就嫁给谁吧。[6]“犯请”句：是说徐吾犯向公孙楚、公孙黑请示，请让他妹妹自行选择。 [7]皆许之：两人都同意了。 [8]“子皙”句：是说公孙黑穿着盛装，到庭前摆好财礼后出去。子皙，公孙黑的字。[9]“子南”句：是说公孙楚穿着军装进来，向左右射箭，然后跳上战车离开。子南，公孙楚的字。 [10]“子皙”句：是说公孙黑确实英俊，不过公孙楚有大丈夫的气概。 [11]“夫夫”句：是说丈夫有丈夫的责任，妻子有妻子的义务，这才叫合乎礼义。[12]适子南氏：嫁给公孙楚。 [13]“子皙怒”句：是说公孙黑很生气，转头在外衣里头穿上铠甲来见公孙楚，想杀了他抢走他妻子。 [14]“子南”句：是说公孙楚觉察出公孙黑的阴谋，操起戈赶走公孙黑，追到大路口，拿戈砍他。 [15]“我好”句：是说我好心去见他，不知道他有别的想法，所以给打伤了。这是公孙黑自我掩饰的话。

大夫皆谋之[1]。子产曰：“直钧，幼贱有罪，罪在楚也[2]。”乃执子南而数之[3]，曰：“国之大节有五[4]，女皆奸之[5]。畏君之威，听其政，尊其贵，事其长，养其亲，五者所以为国也[6]。今君在国，女用兵焉，不畏威也[7]；奸国之纪，不听政也[8]；子皙，上大夫，女，嬖大夫，而弗下之，不尊贵也[9]；幼而不忌，不事长也[10]；兵其从兄，不养亲也[11]。君曰[12]：‘余不女忍杀，宥女以远[13]。’勉，速行乎，无重而罪[14]！”

注释

[1]谋之：商量处理这件事。　[2]"直钧"句：意思是说，双方同样有理的话，年轻或者地位低的那方有罪，所以这次罪在公孙楚。　[3]执：抓捕。数：责备。　[4]大节：重要的规范。　[5]奸：触犯。　[6]"畏君"句：是说畏惧国君的权威，听从国君的政令，尊重地位高的人，事奉长辈，养护亲人，这五件是立国的根本。　[7]"今君"句：是说现在国君在城中，你动用兵器，这是不畏惧国君的威严。　[8]"奸国"句：是说触犯国家法纪，这是不听从政令。　[9]"子皙"句：是说公孙黑是上大夫，你是下大夫，却不让着他，这是不尊重地位高的人。　[10]"幼而"句：是说你年纪轻轻却毫无敬意，这是不事奉长辈。　[11]"兵其"句：是说用兵器攻击堂兄，这是不养护亲人。　[12]君：指郑简公。　[13]"余不"句：意思是我不忍心杀你，赦免你到远方去吧。　[14]"勉，速"句：意思是好自为之，快走吧，不要加重你的罪恶。

五月庚辰[1]，郑放游楚于吴[2]。将行子南[3]，子产咨于大叔[4]。大叔曰："吉不能亢身，焉能亢宗[5]？彼，国政也，非私难也[6]。子图郑国，利则行之，又何疑焉[7]？周公杀管叔而蔡蔡叔，夫岂不爱？王室故也[8]。吉若获戾，子将行之，何有于诸游[9]？"

注释

[1]庚辰：二日。　[2]放：放逐。游楚：即公孙楚。　[3]行：

遣送。　[4]咨：询问。大叔：即游吉，是游家的族长。　[5]“吉不”句：我游吉不能保护自身，又怎能保护家族？　[6]“彼，国”句：是说公孙楚的事情，属于国家法制，不是个人的灾难。　[7]“子图”句：您为郑国着想，有利就去做，又怀疑什么呢？　[8]“周公”句：当年周公杀了弟弟管叔又流放了弟弟蔡叔，难道不爱他们吗？他是为王室着想啊。　[9]“吉若”句：是说我游吉要是犯了罪，您也会处罚我，不必顾虑游家的人。

文史链接

子产之所以成为春秋后期的大政治家，跟他善于制衡各派势力不无关系。这回驷家的子皙要抢游家子南的未婚妻，子南自卫，将子皙打伤了。这件本来是非分明的民事案件，子产却把他当成一个政治事件来处理。因为驷家势力大，子产不想得罪他们招致动乱，便给子南安了几个罪名赶到吴国了事。

不要以为子产是在搅浑水、和稀泥，如果不是以国家利益为上，他放逐子南维护安定的良苦用心怎么会得到游家族长的认可？第二年，不知好歹的子皙想清除游家，子产便毫不犹豫地逼他自杀，因为子产知道，驷家不会再包庇这个害群之马了。子产的审时度势和雷霆手段可见一斑。

这出“小妹选婿”的好戏，也让我们了解到那个时代的择偶观和相关礼俗。

思考讨论

1. 子产在这出选婿风波中充当中间人角色，请谈谈你对他处理方式的看法。

2. 子产在评价是非时说：“直钧，幼贱有罪。”你对这个观点怎么看？

晏子不更旧宅

（昭公三年）

初，景公欲更晏子之宅[1]，曰："子之宅近市，湫隘嚣尘，不可以居，请更诸爽垲者[2]。"辞曰："君之先臣容焉，臣不足以嗣之，于臣侈矣[3]。且小人近市，朝夕得所求，小人之利也，敢烦里旅[4]？"公笑曰："子近市，识贵贱乎[5]？"对曰："既利之，敢不识乎[6]？"公曰："何贵？何贱？"于是景公繁于刑，有鬻踊者[7]。故对曰："踊贵，屦贱[8]。"既已告于君，故与叔向语而称之[9]。景公为是省于刑[10]。君子曰："仁人之言，其利博哉[11]！晏子一言，而齐侯省刑[12]。《诗》曰：'君子如祉，乱庶遄已[13]。'其是之谓乎！"

注释

[1]景公：齐景公。更：更换。　[2]"子之"句：是说您家靠近市场，低湿狭小、吵闹多灰，不能住的，换到明亮清爽的地方吧。　[3]"君之"句：是说微臣的祖辈就住在这里，微臣不能继承先辈的事业，这房子对我来说已经够奢侈了。　[4]"且小人"句：而且小人靠近市场，早晚能买到东西，这是小人的好处，怎敢麻烦各位管房产的官员？　[5]识贵贱：知道什么贵什么便

宜。　　[6]“既利”句：是说既然得它的好处，怎敢不知道呢？　　[7]“于是”句：是说这时齐景公正滥用刑罚，有人卖踊牟利。踊，被砍掉脚的人套在残肢上的特制鞋。　　[8]屦（jù）：鞋子。　　[9]“既已”句：是说晏婴把这意见已经告诉景公了，因此这次出访晋国才跟叔向说起这事。叔向，晋国大夫。　　[10]“景公”句：是说齐景公为此减轻了刑罚。　　[11]“仁人”句：意思是仁德的人说的话，带来的好处真大啊！　　[12]齐侯：即齐景公。　　[13]“君子”句：诗出自《诗经·小雅·巧言》，意思是君子如果欣喜，祸乱大概很快就会停止。

及晏子如晋[1]，公更其宅。反，则成矣[2]。既拜，乃毁之，而为里室，皆如其旧，则使宅人反之[3]，曰：“谚曰：‘非宅是卜，唯邻是卜[4]。’二三子先卜邻矣[5]。违卜不祥[6]。君子不犯非礼，小人不犯不祥，古之制也[7]。吾敢违诸乎[8]？”卒复其旧宅。公弗许，因陈桓子以请，乃许之[9]。

注释

[1]如：到，去。　　[2]反：同“返”，指晏婴返回齐国。成：落成。　　[3]“既拜”句：是说向景公复命之后，晏婴命人拆掉新居，重新造回邻居的房子，都跟原来的一模一样，然后让老住户搬回来。　　[4]“非宅”句：是说房屋不用占卜，邻居才要占卜。就是房子不用挑，邻居要挑好的意思。　　[5]“二三”句：意思是这些邻居是老早挑好的。　　[6]违卜：违背占卜的结果。　　[7]“君子”

句：是说君子不干违背礼法的事情，小人不干不吉利的事情，这是自古以来的规矩。 [8]诸:指那些规矩。 [9]“卒复”句：是说晏婴终于重造了他的旧居，齐景公不同意他住，后来通过陈桓子请求，才同意了。陈桓子，齐国大夫。

文史链接

晏子的忠君，我们在《崔杼弑齐庄公》一篇已经见识过，这篇记载的是他自甘清贫的生活态度。

晏子

齐国国境滨海，渔业、盐业相当发达，国都临淄更是一个商业繁荣的都市。住在这样一个城市里，想不追求奢靡生活是一件很困难的事情；而在齐国人看来，奢华并不是什么可耻的事情。晏子以相国的尊贵地位屈居“陋室”，一贯被当作道德高尚的表率，其实更可能是吸取崔杼等人飞扬跋扈而灭亡的教训，刻意低调的世故之举。

晏婴跟管仲并称齐国良相，两人的政治风格却大相径庭。管仲以一系列富国强兵的政策帮助齐桓公称霸天下，自己也“富于列国之君”，可谓“能臣”；晏婴发表了一大堆道德言论批评国君以及自我约束，“以节俭力行重于齐”，可算“清官”。这两种品格在后代政治家身上不断复现，究竟哪样对国家更有价值就见仁见智了。

思考讨论

1. 请谈谈你对晏子行为的看法。

2. 请参阅《史记·管晏列传》，了解管仲和晏婴两位良相的政绩和作风，说说哪一位更符合你心目中的“贤相”形象，并说明理由。

齐鲁炊鼻之战

（昭公二十六年）

师及齐师战于炊鼻[1]。齐子渊捷从泄声子[2]，射之，中楯瓦，繇朐汰辀，匕入者三寸[3]。声子射其马，斩鞅，殪[4]。改驾，人以为鬷戾也，而助之[5]。子车曰[6]：“齐人也。”将击子车，子车射之，殪[7]。其御曰：“又之[8]。”子车曰：“众可惧也，而不可怒也[9]。”

注释

[1]师：指鲁国军队。炊鼻：鲁国地名，今山东宁阳境内。 [2]子渊捷：齐国大夫。从：迎击。泄声子：鲁国大夫。 [3]“射之”句：是说子渊捷射泄声子，击中盾牌中间隆起的地方，箭从车轭弹到车辕，箭头还能扎进去三寸。 [4]“声子”句：说泄声子射子渊捷的马，射断马颈下的皮带，击毙马匹。 [5]“改驾”句：是说子渊捷换了辆车，鲁兵误认他是鬷戾，便去帮他。鬷戾是鲁国权臣叔孙家的军官。 [6]子车：即子渊捷。子渊捷如实告诉鲁兵他是齐人。 [7]“将击”句：是说鲁兵试图攻击子渊捷，被他一箭射死。 [8]“其御”句：子渊捷的御手说：“接着射。” [9]“众可”句：是说众人可以吓唬，不可激怒。

子囊带从野泄[1]，叱之[2]。泄曰：“军无私怒，

报乃私也，将亢子[3]。”又叱之，亦叱之[4]。冉竖射陈武子，中手，失弓而骂[5]。以告平子曰[6]：“有君子白皙鬒须眉，甚口[7]。”平子曰：“必子强也[8]，无乃亢诸[9]？”对曰：“谓之君子，何敢亢之[10]？”

注释

[1]子囊带：齐国大夫。野泄：泄声子。　[2]叱：骂。　[3]“军无”句：是说战场上没有个人的愤怒，我回骂你就是出于个人的愤怒，我要跟你对战。　[4]“又叱”句：是说子囊带继续骂骂咧咧，泄声子也骂将回去。　[5]“冉竖”句：冉竖射中陈武子的手，陈武子的弓脱了手，破口大骂。冉竖，鲁国权臣季孙家的家臣。陈武子，齐国大夫。　[6]平子：季孙家的族长。　[7]“有君”句：是说有个君子皮肤很白须发浓密，很能骂。　[8]子强：陈武子的字。　[9]无乃亢诸：难道跟他交锋了？　[10]“谓之”句：既然说他是君子，哪里还敢跟他交锋？

林雍羞为颜鸣右，下[1]。苑何忌取其耳[2]。颜鸣去之[3]。苑子之御曰：“视下！”顾[4]。苑子刜林雍，断其足，鑋而乘于他车以归[5]。颜鸣三入齐师，呼曰：“林雍乘[6]！”

注释

[1]“林雍”句：林雍耻于给颜鸣当车右，下车步战。林雍、颜鸣，

都是鲁国人。 [2]“苑何”句：苑何忌抓住林雍割了他的耳朵。苑何忌，齐国大夫。 [3]颜鸣去之：颜鸣离开了林雍。 [4]“苑子”句：是说苑何忌的御手一边喊：“看下头！”一边盯着林雍的脚。 [5]“苑子”句：是说苑何忌用戈砍向林雍，砍断了他的脚，林雍单脚跳着乘上别的兵车回鲁军军营。 [6]“颜鸣”句：是说颜鸣三次杀入齐军，大声叫道：“林雍来上车！”

文史链接

北方的晋国内乱不停，南方的楚国被吴国搅得鸡犬不宁，两个老牌霸主都无力干预中原事务，于是各诸侯国仿佛又回到春秋初期的状态，各自拉帮结派，互相攻伐，捞取实地。

齐国的国君齐景公，试图趁此机会振兴东方老霸主的声威。恰好鲁昭公被把持朝政的“三桓”逼迫，流亡齐国。于是齐景公发兵攻鲁，护送鲁昭公回国复位，借此树立霸主的形象。

齐军此战不是为了征服鲁国，所以尽管战场上占尽上风，攻势却都点到为止，追求震慑而不是杀伤的效果，于是竟然出现“君子动口不动手”，以谩骂代替厮杀的滑稽场面。

思考讨论

1.《左传》十分擅长在看似无关痛痒处作文章。活色生香，妙趣无穷。请分析本文在这方面的特点。

2. 本应激烈搏杀的炊鼻之战最终演变得颇有些骂战意味，请谈谈双方军士的表现。

专诸刺吴王

（昭公二十七年）

吴子欲因楚丧而伐之，使公子掩余、公子烛庸帅师围潜，使延州来季子聘于上国，遂聘于晋，以观诸侯[1]。楚莠尹然、王尹麇帅师救潜[2]，左司马沈尹戌帅都君子与王马之属以济师[3]，与吴师遇于穷[4]，令尹子常以舟师及沙汭而还[5]。左尹郤宛、工尹寿帅师至于潜[6]，吴师不能退。

注释

[1]“吴子”句：是说吴王僚想趁楚平王新近去世讨伐楚国。派掩余和烛庸带兵围困潜，派季札出使中原各国，于是应邀访问晋国，借机观察诸侯动向。吴子，吴王僚。掩余、烛庸，都是吴王僚的兄弟。潜，楚国地名，在今安徽霍山东北。延州来季子，即季札，吴王僚的叔父，春秋末期著名的贤人。　[2]莠（yǒu）尹、王尹、左司马、令尹：都是楚国官名。然、麇、沈尹戌、子常：都是人名。　[3]都君子：地方的上层子弟。王马之属：给楚王养马的人员。济师：增援。　[4]穷：地名，在今安徽霍邱西南。[5]舟师：水军。沙汭（ruì）：在今安徽怀远东北。　[6]左尹、工尹：都是楚国官名。郤宛、寿：都是人名。以上交代吴军不能退兵的原因。

吴公子光曰[1]：“此时也，弗可失也[2]。”告鱄设诸曰[3]："上国有言曰[4]：'不索，何获[5]？'我，王嗣也[6]，吾欲求之[7]。事若克，季子虽至，不吾废也[8]。"鱄设诸曰："王可弑也。母老子弱，是无若我何[9]？"光曰："我，尔身也[10]。"

注释

[1]公子光：即后来的吴王阖(hé)庐，吴王僚的侄子。 [2]"此时"句：是说这是个机会，不能错过。 [3]鱄(zhuān)设诸：即专诸。 [4]上国：指中原各国。 [5]"不索"句：不去追求，怎能到手？ [6]王嗣(sì)：国王的继承人。 [7]求之：指想获得王位。公子光是前任吴王夷昧的儿子，所以他这样说。[8]"事若"句：是说事情如果成功了，即使季札回来，也不会废黜了我。 [9]"王可"句：我可以杀掉吴王僚，但是我家里上有老母下有小儿，我没法照顾他们怎么办？ [10]我，尔身也：我就是你。意思是，你的家人就是我的家人。

夏，四月，光伏甲于堀室而享王[1]。王使甲坐于道及其门[2]。门、阶、户、席，皆王亲也，夹之以铍[3]。羞者献体改服于门外[4]。执羞者坐行而入，执铍者夹承之，及体，以相授也[5]。光伪足疾，入于堀室[6]。鱄设诸置剑于鱼中以进，抽剑刺王，铍交于胸，遂弑王[7]。阖庐以其子为卿[8]。

注释

[1]伏甲:埋伏甲兵。堀(kū)室:地下室。享王:宴请吴王僚。[2]“王使”句:是说吴王僚沿途派卫士坐守,一直排到公子光的家门口。[3]“门、阶”句:是说大门口、台阶上、房门外、坐席上都是吴王僚的亲信,而且都拿着铍护卫他。铍(pī),一种类似长矛的兵器。[4]“羞者”句:是说上菜的人要赤身裸体在门外换衣服。这是防止夹带暗器进来行刺。[5]“执羞”句:是说上菜的人跪着挪进来,两名士兵拿铍顶住他的身体,三人同进同退。[6]“光伪”句:是说公子光假装脚痛,躲进了地下室。[7]“鱄设诸”句:是说专诸事先把短剑藏在鱼肚子里送上来,突然抽出剑刺向吴王僚,抵住专诸身体的两支铍同时也扎进他的胸膛,于是杀掉了吴王僚。[8]“阖庐”句:是说公子光把专诸的儿子封为卿。

季子至,曰:“苟先君无废祀,民人无废主,社稷有奉,国家无倾,乃吾君也,吾谁敢怨[1]?哀死事生,以待天命[2]。非我生乱,立者从之,先人之道也[3]。”复命哭墓,复位而待[4]。吴公子掩余奔徐,公子烛庸奔钟吾[5]。楚师闻吴乱而还[6]。

注释

[1]“苟先”句:假如先君的祭祀没有中断,人民的主宰没有被废弃,土地和五谷的神灵仍旧祭奉,国家没有被颠覆,那他就是我的国君,我能怨恨谁呢?[2]“哀死”句:是说哀悼死者

事奉生者，以等待上天的安排。 [3]“非我”句：是说不是我造成的动乱，我服从新登基的国君，这是先辈的规矩。 [4]“复命”句：是说季札到吴王僚的墓地复命哭拜，然后回到原来的岗位等待阖庐的命令。因为他是吴王僚派去出使诸侯的，所以到他的墓地复命。 [5]徐、钟吾：小国名，在今江苏徐州一带。[6]“楚师”句：是说楚军听说吴国内乱就撤兵了。

文史链接

要从春秋时代众多刺客中选出一个最彪悍的，一定是专诸。他的刺杀行动，是在吴王僚的护卫用矛头抵住自己的胸口的情况下，突然抽出藏在鱼腹的短剑，猛地扑向吴王。短剑刺进吴王身体的同时，矛头也穿透了专诸的胸膛。这种在电光火石之间玉石俱焚的格杀方式，让一切靠突然袭击得逞的杀手黯然失色。

这可能是中国历史上最早的“自杀式袭击”，难度之大绝无仅有，其惊天动地的程度，根据战国人的传说，甚至造成了彗星撞月球的天文奇观。

即使面对这样一个充满戏剧性的题材，《左传》也把大量篇幅留来交代刺杀的前因后果，刺杀场面处理得相当冷静，毫无渲染。这一点上，历史学家跟文学家很不相同。

思考讨论

1. 历代刺客大多宣称为正义而战，你怎么看待这种行为？

2. 与刺客相似的有“侠客”。你能说说刺客和侠客的异同吗？

第八章　定　公

邾庄公之死

（定公二年、三年）

邾庄公与夷射姑饮酒[1]，私出[2]。阍乞肉焉，夺之杖以敲之[3]。（以上定公二年）

注释

[1]夷射姑：邾（zhū）国大夫。　[2]私出：出去小便。[3]“阍（hūn）乞”句：是说看门人向夷射姑讨肉吃，夷射姑抢过他的拐杖将他暴打一顿。阍，看门人。

三年，春，二月辛卯[1]，邾子在门台[2]，临廷[3]。阍以缾水沃廷，邾子望见之，怒[4]。阍曰：“夷射姑旋焉[5]。”命执之[6]。弗得，滋怒，自投于床，废于炉炭，烂，遂卒[7]。先葬以车五乘，殉五人[8]。庄公卞急而好洁，故及是[9]。（以上定公三年）

注释

[1]辛卯：二十九日。 [2]邾子：即邾庄公。门台：门楼。[3]临廷：下面对着庭院。 [4]“阍以”句：是说看门人拿着水瓶在庭院洒水，庄公看见，非常生气。 [5]旋焉：在这里撒尿。[6]命执之：下令抓夷射姑。 [7]“弗得”句：是说没抓到，庄公更加恼火，自己从床上跳下来，摔到炉炭上面，烧得皮肤溃烂，因此死了。 [8]“先葬”句：是说在庄公下葬之前，先用五辆车和五个活人殉葬。 [9]“庄公”句：是说庄公脾气急躁又有洁癖，所以落到这个下场。

文史链接

邾国是春秋时代一个三等小国，邾庄公是一个没有任何功绩可言的国君，他之所以被孔子写进《春秋》，原本是因为他使用了活人殉葬，而孔子非常反对这种极不人道的制度，痛骂这些人断子绝孙：“始作俑者，其无后乎。”但《左传》作者绘声绘形的描述，让我们记住的却是邾庄公离奇的死因。寥寥几笔一幅小品，活脱脱画出一个性格暴躁又有洁癖的小国君主的形象。他的暴跳如雷，跟《世说新语》里面追着掉在地上团团乱转的鸡蛋一顿狂踩的王蓝田真是相映成趣。不过因此丢了性命，实在太窝囊，代价也太大了。

思考讨论

1. 请把本文扩写成800字以上的小小说。

2.《左传》多以冷静客观的笔触来描写小品性质的故事，却如妙手丹青，活灵活现。请结合本书其他篇目，总结作者在描写轶事时的笔法特点。

吴楚柏举之战

（定公四年）

冬，蔡侯、吴子、唐侯伐楚[1]。舍舟于淮汭，自豫章与楚夹汉[2]。左司马戌谓子常曰[3]："子沿汉而与之上下，我悉方城外以毁其舟，还塞大隧、直辕、冥厄[4]。子济汉而伐之，我自后击之，必大败之[5]。"既谋而行[6]。武城黑谓子常曰[7]："吴用木也，我用革也，不可久也，不如速战[8]。"史皇谓子常[9]："楚人恶子而好司马[10]。若司马毁吴舟于淮，塞城口而入，是独克吴也[11]。子必速战！不然，不免[12]。"乃济汉而陈，自小别至于大别[13]。

注释

[1]蔡侯：蔡昭公。吴子：吴王阖庐。唐侯：唐成公。伐：讨伐。　[2]"舍舟"句：是说吴军沿淮水到蔡国弃船登陆，在豫章一带跟楚军隔汉水对峙。　[3]左司马戌：即沈尹戌，楚国大夫。子常：楚国令尹。　[4]"子沿"句：是说您沿着汉水跟他们周旋，我调动方城以外的人马毁掉他们停在淮水上的船，回军堵住大隧、直辕、冥厄三个关口。　[5]"子济"句：是说您渡过汉水攻击他们，我从背后夹击，一定能大败他们。　[6]既谋而行：商议完之后沈尹戌就出发了。　[7]武城黑：楚国武城地

方的长官。　　[8]“吴用”句：是说吴军战车只是木头的，楚军战车包了皮革，潮湿了会坏，不耐久，不如速战速决。　　[9]史皇：楚国大夫。　　[10]“楚子”句：是说楚国人厌恶您而喜欢沈尹戌。　　[11]“若司”句：是说如果沈尹戌在淮河上毁掉吴国的船只，堵住关口回军攻击，那就是他独力打败吴国了。　　[12]“子必”句：是说您一定得速战速决！否则没有好结果。　　[13]“乃济”句：是说子常于是渡过汉水列阵，从小别山一直绵延到大别山。

三战，子常知不可[1]，欲奔。史皇曰：“安求其事，难而逃之，将何所入[2]？子必死之，初罪必尽说[3]。”

注释

[1]不可：不能抵挡吴军。　　[2]“安求”句：平日里太平无事，忙着争权夺利，现在碰到困难就逃跑，能跑到哪里去？　　[3]“子必”句：是说您一定要死战，从前的罪过才能洗刷。

十一月庚午[1]，二师陈于柏举[2]。阖庐之弟夫概王晨请于阖庐曰[3]：“楚瓦不仁，其臣莫有死志[4]。先伐之，其卒必奔；而后大师继之，必克[5]。”弗许。夫概王曰：“所谓‘臣义而行，不待命’者，其此之谓也[6]。今日我死，楚可入也[7]。”以其属五千先击子常之卒[8]。子常之卒奔，楚师乱，吴师大败之。子常奔郑。史皇以其乘广死[9]。

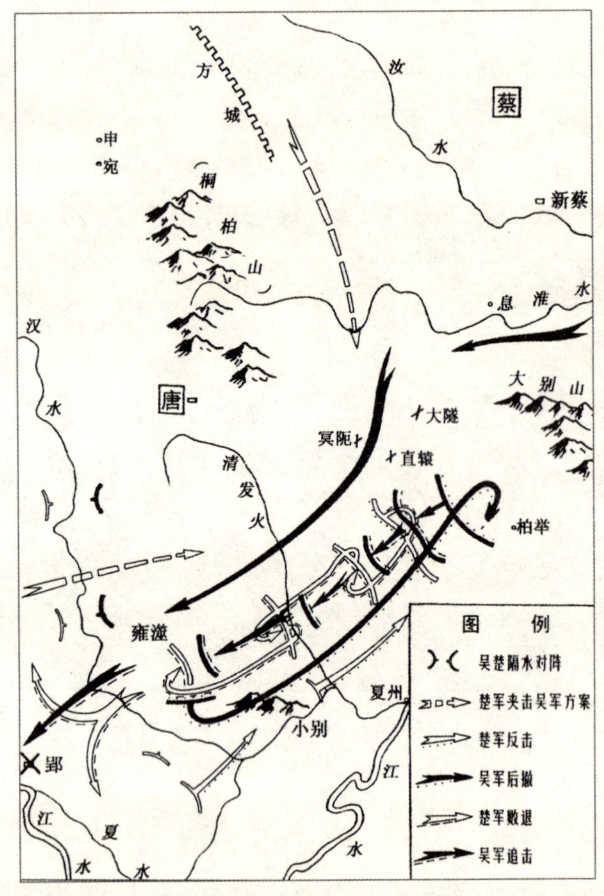

吴楚柏举之战作战经过示意图

注释

[1]庚午：十八日。　[2]柏举：楚地名，在今湖北麻城东北。　[3]请：请战。　[4]“楚瓦”句：是说子常不行仁道，他的下属不愿拼死战斗。楚瓦，即子常。　[5]“先伐”句：是说先打他，他的士兵一定逃跑；然后我们大军压上，一定能击败他们。　[6]“所谓”句：是说所谓“臣下见合乎道义的事情就

去做，不必等待指令”，说的就是现在的情况。　[7]“今日”句：是说今天我拼死一战，楚国的首都就可以长驱直入了。　[8]其属：指夫概王的部属。　[9]“史皇”句：史皇驾着战车战死。

吴从楚师[1]，及清发[2]，将击之。夫概王曰：“困兽犹斗，况人乎？若知不免而致死，必败我[3]。若使先济者知免，后者慕之，蔑有斗心矣。半济而后可击也[4]。”从之，又败之[5]。楚人为食，吴人及之，奔[6]。食而从之，败诸雍澨[7]。五战，及郢[8]。

注释

[1]从：追击。　[2]清发：河流名，在今湖北安陆。[3]“困兽”句：被围困的野兽尚且会拼死搏斗，何况是人？如果知道难免一死而拼命反击，一定会击败我们。　[4]“若使”句：是说要是让先渡河的知道可以逃命，后面的人羡慕他们，楚军就没有斗志了。等他们渡河到一半的时候攻击他们。　[5]“从之”句：是说听从了夫概王的计策，再次大败楚军。　[6]“楚人”句：是说楚军正在做饭，吴军追上来，只好弃饭而逃。　[7]“食而”句：吴军吃了楚军做的饭继续追击，又在雍澨打败他们。雍澨(shì)，在今湖北京山东南。　[8]郢(yǐng)：楚国国都，在今湖北江陵。

己卯，楚子取其妹季芈畀我以出，涉睢[1]。针尹固与王同舟，王使执燧象以奔吴师[2]。

注释

[1]"己卯"句:是说十一月二十七日楚昭王带着妹妹季芈(mǐ)畀(bì)我出逃，渡过睢(jū)水。己卯，十一月二十七日。楚子，楚昭王。 [2]"针尹固"句:是说针尹固跟楚昭王同乘一条船，昭王派他驱赶尾巴上点着火的大象冲向吴军。针尹固，楚国大夫。

庚辰[1],吴入郢,以班处宫[2]。子山处令尹之宫，夫概王欲攻之，惧而去之，夫概王入之[3]。

注释

[1]庚辰:二十八日。 [2]以班处宫:按照尊卑次序分别住在宫里。[3]"子山"句:是说子山住在令尹子常的宫里，夫概王想攻打他，子山害怕就离开了，夫概王得以入住。子山，吴王阖庐的儿子。

左司马戌及息而还[1]，败吴师于雍澨，伤。初，司马臣阖庐，故耻为禽焉[2]，谓其臣曰:"谁能免吾首[3]?"吴句卑曰[4]:"臣贱,可乎[5]?"司马曰:"我实失子,可哉[6]!"三战皆伤,曰:"吾不可用也已[7]。"句卑布裳，刭而裹之，藏其身，而以其首免[8]。

注释

[1]息:楚地名，今河南息县西南。 [2]"初，司马"句:是说当初沈尹戌曾经是阖庐的大臣，所以耻于被吴军俘虏。

[3]免吾首：不让吴人得到我的脑袋。　[4]句卑：吴国人，沈尹戌的下属。　[5]“臣贱”句：意思是微臣身份低贱，能够担当这个任务吗？　[6]“我实”句：是说我一直忽视了你，你来吧！　[7]“吾不”句：意思是我不行了。　[8]“句卑”句：是说句卑铺开裙子，割下沈尹戌的脑袋包好，藏起尸身，带着脑袋逃走了。

楚子涉睢，济江[1]，入于云中[2]。王寝，盗攻之，以戈击王，王孙由于以背受之，中肩[3]。王奔郧[4]。钟建负季芈以从[5]。由于徐苏而从[6]。郧公辛之弟怀将弑王[7]，曰：“平王杀吾父，我杀其子，不亦可乎[8]？”辛曰：“君讨臣，谁敢雠之[9]？君命，天也。若死天命，将谁雠[10]？《诗》曰：‘柔亦不茹，刚亦不吐。不侮矜寡，不畏强御。’唯仁者能之[11]。违强陵弱，非勇也；乘人之约，非仁也；灭宗废祀，非孝也；动无令名，非知也[12]。必犯是，余将杀女[13]。”

注释

[1]济江：渡过长江。　[2]云中：即云梦泽。　[3]“王寝”句：是说楚昭王睡觉的时候，有强盗来袭击，用戈攻击昭王，王孙由于用背挡住戈，被击中肩膀。王孙由于，楚国公子。
[4]郧（yún）：楚地名，在今湖北京山、安陆一带。　[5]钟建：楚国大夫。负：背着。　[6]“由于”句：是说王孙由于慢慢苏醒之后也跟着逃跑。　[7]郧公辛：郧地的长官。　[8]“平王”

句：楚平王杀了我父亲，我现在杀他儿子，不行吗？ [9]“君讨”句：楚平王是以国君身份惩罚下臣，谁敢仇视他？ [10]“君命”句：国君的命令就是天意，如果死于天意，能仇视谁？ [11]“柔亦”句：诗出自《诗经·大雅·烝民》，意思是“柔软的也不吞下去，刚硬的也不吐出来，不欺负鳏夫寡妇，不畏惧强权暴力”，这只有仁义的人能做到。 [12]“违强”句：逃避强者、欺凌弱者，不算勇敢；乘人之危，不算仁义；毁灭宗族、废弃祭祀，不算孝道；举止没有好名声，不算明智。 [13]“必犯”句：是说你要是非干这坏事，我就杀了你。

斗辛与其弟巢以王奔随[1]。吴人从之，谓随人曰：“周之子孙在汉川者，楚实尽之[2]。天诱其衷，致罚于楚，而君又窜之，周室何罪[3]？君若顾报周室，施及寡人，以奖天衷，君之惠也[4]。汉阳之田，君实有之[5]。”楚子在公宫之北，吴人在其南[6]。子期似王，逃王，而己为王[7]，曰：“以我与之，王必免[8]。”随人卜与之，不吉[9]，乃辞吴曰：“以随之辟小，而密迩于楚，楚实存之[10]。世有盟誓，至于今未改[11]。若难而弃之，何以事君[12]？执事之患不唯一人，若鸠楚竟，敢不听命[13]？”吴人乃退。

注释

[1]斗辛：即郧公辛。以：带着。随：楚的附庸国，在今湖北随州。

[2]“周之”句：意思是说，周天子的子孙封在汉水流域的，都被楚国灭掉了。吴、随都是姬姓国，所以特地这样说。　[3]“天诱”句：上天显出它的意志，要惩罚楚国，而您又藏匿楚王，难道周王室有什么罪过吗？　[4]“君若”句：意思是您如果想报答周王室，施恩于寡人，以助成上天的意志，这将是您的恩惠。[5]“汉阳”句：是说交出楚王，汉水北边的土地就是你的啦。[6]“楚子”句：是说楚昭王躲在随侯宫室的北边，吴人堵集结在南边。　[7]“子期”句：是说子期长得像昭王，逃到昭王那里，穿上楚王的衣饰冒充昭王。子期，楚昭王的哥哥。　[8]“以我”句：是说把我交给吴人，大王就能脱险了。　[9]“随人”句：是说随国人占卜交出子期的结果，不吉利。　[10]“以随”句：是说随国国土狭小，而且挨着楚国，全靠楚国保全。　[11]“世有”句：是说两国历代有盟约，至今没有更改。　[12]“若难”句：假如楚国有难就背弃他们，又怎么能事奉贵国呢？　[13]“执事”句：你们的麻烦不是楚王一个人，如果贵国能安抚楚国全境，谁敢不服从号令？

鑢金初官于子期氏，实与随人要言[1]。王使见，辞[2]，曰：“不敢以约为利[3]。”王割子期之心以与随人盟[4]。

注释

[1]“鑢（lǜ）金”句：是说鑢金当初给子期家做家臣，实际上跟随人有个约定，不把楚王交给吴人。　[2]“王使”句：是说昭王召见鑢金，鑢金拒绝了。　[3]“不敢”句：意思是不敢

拿约定谋求利益。　　[4]“王割”句：是说昭王割破子期胸口的皮肉，用他的血跟随人结盟。

初，伍员与申包胥友[1]。其亡也[2]，谓申包胥曰：“我必复楚国[3]。”申包胥曰：“勉之[4]！子能复之，我必能兴之[5]。”及昭王在随，申包胥如秦乞师，曰：“吴为封豕、长蛇，以荐食上国，虐始于楚[6]。寡君失守社稷，越在草莽，使下臣告急[7]，曰：‘夷德无厌，若邻于君，疆埸之患也[8]。逮吴之未定，君其取分焉[9]。若楚之遂亡，君之土也；若以君灵抚之，世以事君[10]。’”秦伯使辞焉[11]，曰：“寡人闻命矣[12]。子姑就馆，将图而告[13]。”对曰：“寡君越在草莽，未获所伏，下臣何敢即安[14]？”立，依于庭墙而哭，日夜不绝声，勺饮不入口七日[15]。秦哀公为之赋《无衣》[16]。九顿首而坐[17]。秦师乃出[18]。

注释

[1]伍员：伍子胥，吴国大夫。申包胥：楚国大夫。　[2]其亡也：指伍子胥逃离楚国的时候。　[3]复：同“覆”，颠覆。　[4]勉之：努力。　[5]兴之：指光复楚国。　[6]“吴为”句：是说吴国是大野猪、大毒蛇，屡次侵袭大国，为害从楚国开始。　[7]“寡君”句：是说我国君失守国都，流落在野外，特派微臣前

来告急。　[8]“夷德”句：意思是吴国的本性贪婪，如果吞并楚国之后做了秦国的邻居，就是贵国边疆的祸患了。　[9]“逮吴”句：是说趁吴国还没站稳脚跟，您跟吴国平分楚国土地吧。　[10]“若楚”句：是说如果楚国因此灭亡，它就是您的土地了；要是托您的福安定下来，楚国将世代事奉贵国。　[11]秦伯：秦哀公。使辞：派人跟申包胥对话。　[12]闻命：听见您的指令了。意思是知道了。　[13]“子姑”句：是说您先到馆驿下榻，我们商量好了告诉你。　[14]“寡君”句：我国君流落野外，没有安身之地，微臣哪敢就此安居馆驿？　[15]“立，依”句：是说申包胥站在朝廷上，靠着墙放声大哭，夜以继日哭声不停，不吃不喝长达七天。　[16]赋：写诗。《无衣》：即现存《诗经·秦风·无衣》。　[17]“九顿”句：是说申包胥磕了九个头之后坐下来。　[18]出：指出兵楚国。

文史链接

吴国经过晋人几十年的调教、援助，又得到伍子胥、孙武这样的能人辅佐，在阖庐时代进入了军事鼎盛时期。当老霸主晋国已经无力对楚作战的时候，吴国却从小规模骚扰发展为大举入侵，横行楚国腹地，攻破都城郢。楚国几乎陷入灭顶之灾。

楚国沦陷了半壁江山，罪魁祸首，近的说，是横征暴敛、欺凌周围弱国的执政者令尹子常等人；远的说，是几代楚王滥杀大臣，自毁长城，不少能人逃亡异国，到头来反戈一击。这回为报父兄之仇，率领吴兵扫荡“父母之邦”的伍子胥就是一个代表。

依靠伍子胥的好朋友申包胥在秦国朝堂上七天七夜的痛哭，借助秦兵的力量，楚国总算收复了失地。未来的几十年，楚国、吴国和越国，将在东南上演春秋末年的“三国演义”。

思考讨论

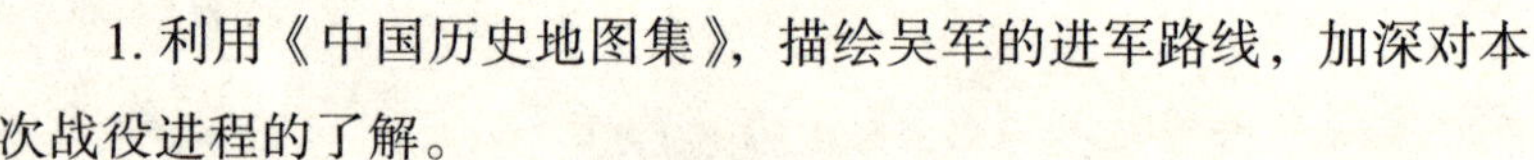

1. 利用《中国历史地图集》，描绘吴军的进军路线，加深对本次战役进程的了解。

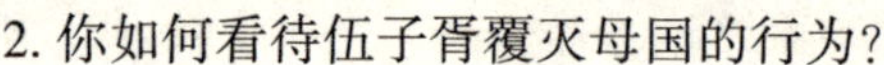

2. 你如何看待伍子胥覆灭母国的行为？

鲁国侵齐

（定公八年）

八年，春，王正月，公侵齐[1]，门于阳州[2]。士皆坐列[3]，曰："颜高之弓六钧[4]。"皆取而传观之[5]。阳州人出，颜高夺人弱弓，籍丘子钼击之，与一人俱毙[6]。偃，且射子钼，中颊，殪[7]。颜息射人中眉，退曰："我无勇，吾志其目也[8]。"师退，冉猛伪伤足而先[9]。其兄会乃呼曰："猛也殿[10]！"

注释

[1] 公：鲁定公。 [2] 门：攻打城门。阳州：齐国地名，在今山东东平北。 [3] 坐列：并排坐着。表示鲁军斗志松懈。[4]"颜高"句：是说颜高的弓拉开要用六十斤力气。颜高，鲁国人。六钧，一百八十斤，相当于现在六十斤。 [5] 传观：传递观看。[6]"阳州"句：是说阳州人冲出城来会战，颜高抢过别人一把张力较小的弓，籍丘子钼攻击颜高，颜高跟另一个人同时倒地。籍

丘子钼，齐国人。　[7]“偃，且”句：是说颜高卧倒，顺势放箭射籍丘子钼，射中他的面颊，当场毙命。　[8]“颜息”句：是说颜息射中敌兵的眉骨，下来之后说：“我箭术不行，我原本想射他的眼睛。”这是变相的自夸。颜息,鲁国人。　[9]“师退”句:是说鲁军退兵,冉猛假装伤了脚先逃了。冉猛,鲁国人。　[10]“其兄”句:冉猛的哥哥冉会大叫:“冉猛殿后！”这句叫喊有两种解释，一是说冉会叫冉猛不要逃跑，回来殿后；一是说冉会想掩盖冉猛逃跑的事实，谎称冉猛在殿后。

……

公侵齐，攻廪丘之郛[1]。主人焚冲，或濡马褐以救之，遂毁之[2]。主人出[3]，师奔[4]。阳虎伪不见冉猛者[5]，曰：“猛在此，必败[6]。”猛逐之，顾而无继，伪颠[7]。虎曰：“尽客气也[8]。”

注释

[1]廪丘:齐地名，在今山东鄄城北。郛(fú):外城。　[2]“主人”句：是说廪丘的守卫放火烧鲁军的攻城车，有鲁兵沾湿了粗布短衣扑灭了火，于是攻破外城。　[3]出：出击。　[4]师奔：鲁军逃跑。　[5]阳虎：鲁国权臣季孙家的大管家。伪：假装。
[6]“猛在”句：是阳虎的激将法，意思是要是冉猛在这里，一定能打败对手。　[7]“猛逐”句：是说冉猛受到激励，奋勇追杀齐兵，回头却看见没有人跟进，便假装掉下战车。　[8]客气：装模作样，指各人不是真心作战。

苫越生子，将待事而名之[1]。阳州之役获焉[2]，名之曰“阳州”。

注释

[1]“苫（shān）越”句：是说苫越生了个儿子，想等发生大事再给取名字。苫越，鲁国人。 [2]“阳州”句：是说苫越在阳州之战有所斩获。

文史链接

《左传》记载了很多场大战，更记载了很多本文这样无关痛痒的小战斗。

这两场战斗，是鲁国为了报复齐国前年入侵而打的。在这样军事意义不大的战斗中，作者却发掘出战场上滑稽的一面。颜高的善射，颜息的自夸，冉猛兄弟的狡猾，鲁军的缺乏军纪，统统用轻松的笔调表现出来了。

大场面调度得心应手，小花絮编得妙趣横生，《左传》描写战争的本领可见一斑。

思考讨论

1. 本篇人物描写近似漫画化。作者是如何通过选材和组织达到这种效果的？

2. 鲁国与齐国曾发生过多次战争，最为著名的是长勺之战。请结合《曹刿论战》，总结作者的写作特点。

第九章　哀　公

齐鲁清之战

（哀公十一年）

十一年，春，齐为鄎故[1]，国书、高无丕帅师伐我[2]，及清[3]。季孙谓其宰冉求曰[4]：“齐师在清，必鲁故也，若之何[5]？”求曰：“一子守，二子从公御诸竟[6]。”季孙曰：“不能。”求曰：“居封疆之间[7]。”季孙告二子[8]，二子不可。求曰：“若不可，则君无出[9]。一子帅师，背城而战，不属者，非鲁人也[10]。鲁之群室众于齐之兵车，一室敌车优矣，子何患焉[11]？二子之不欲战也宜，政在季氏[12]。当子之身，齐人伐鲁而不能战，子之耻也，大不列于诸侯矣[13]。”季孙使从于朝，俟于党氏之沟[14]。武叔呼而问战焉[15]。对曰：“君子有远虑[16]，小人何知[17]？”懿子强问之[18]，对曰：“小人虑材而言，量力而共者也[19]。”武叔曰：“是谓我不成丈夫也[20]。”退而蒐乘[21]。

注释

[1]郋(xī):齐国南部边城。哀公十年,齐、鲁在此交锋。 [2]国书、高无丕:齐国大夫。 [3]清:地名,在今山东东阿境内。 [4]季孙:指季孙家的家长季康子。宰:贵族家的管家。冉求:孔子的学生。 [5]"齐师"句:是说齐军驻扎在清,一定是打鲁国的主意,怎么办? [6]"一子"句:是说"三桓"中一家留在国内,另两家跟鲁哀公一道到边境抵御。 [7]居封疆之间:意思是说在境内抵御。 [8]二子:指"三桓"的另外两家孟孙氏和叔孙氏。 [9]君无出:国君不要离开首都。 [10]"一子"句:是说由一家带兵到城外迎战,不跟着参战的不是鲁国人。 [11]"鲁之"句:意思是鲁国卿大夫的家兵比齐国的兵车都多,就是季孙一家的兵车都多于来犯的齐兵,您担心什么? [12]"二子"句:意思是他们两家不想打也难怪,因为政权在季家手里。 [13]"当子"句:是说在您活着的时候齐人来打却不能应战,这是您的耻辱,在诸侯中间呆不住啦。 [14]"季孙"句:是说季康子让冉求跟自己一块上朝,等在党氏之沟这个地方。 [15]"武叔"句:武叔喊住冉求问他对战争的看法。武叔,叔孙家的家长。 [16]远虑:长远的考虑。 [17]小人:冉求自指。 [18]懿子:孟孙家的家长。强问:追问。 [19]"小人"句:冉求的回答是说,小人考虑能力才决定说不说,掂量力量才决定做不做。意思是反正你们不想出兵,我没什么好说的。 [20]"是谓"句:意思是你这不是说我不出兵就不是大丈夫嘛。 [21]蒐乘:阅兵。

孟孺子泄帅右师[1],颜羽御,邴泄为右[2]。冉求帅左师,管周父御,樊迟为右[3]。季孙曰:"须也

弱[4]。”有子曰[5]：“就用命焉[6]。”季氏之甲七千，冉有以武城人三百为己徒卒，老幼守宫，次于雩门之外[7]。五日，右师从之。公叔务人见保者而泣[8]，曰：“事充政重，上不能谋，士不能死，何以治民[9]？吾既言之矣，敢不勉乎[10]！”

注释

[1]孟孺子泄：孟懿子的儿子。 [2]颜羽、邴泄：都是孟孙家的家臣。 [3]管周父、樊迟：季孙家的家臣，后者也是孔子的学生。 [4]须：樊迟。弱：太年轻。这年樊迟大约二十二岁。 [5]有子：冉求。 [6]就用命：能够听指挥。 [7]“季氏”句：是说季孙家出士兵七千人，冉求带领三百个武城人做自己的步兵，留下太老和太小的士兵守卫宫城，其余出城驻扎在雩门之外。雩(yú)门，曲阜的南门。 [8]公叔务人：鲁昭公的儿子。保者：守城人。 [9]“事充”句：劳役繁重，赋税沉重，上层没有主意，士兵不愿拼命，怎么治理百姓？ [10]“吾既”句：是说我既然说了这些话，自己哪敢不努力！

师及齐师战于郊[1]。齐师自稷曲[2]，师不逾沟[3]。樊迟曰：“非不能也，不信子也，请三刻而逾之[4]。”如之，众从之[5]。师入齐军[6]。

注释

[1]郊：郊外。　[2]稷（jì）曲：鲁国郊野地名，齐军由这里进攻。　[3]不逾沟：（鲁军）不越过沟渠迎战。　[4]“非不”句：是对冉求说的，意思是我军不是不能越过沟渠，是大家不相信您，请您再三申明号令之后带头越沟。　[5]“如之”句：意思是按樊迟教的做，果然大家跟着冉求一起前进了。　[6]师入齐军：是说左军冲入齐军。

右师奔[1]，齐人从之。陈瓘、陈庄涉泗[2]。孟之侧后入以为殿，抽矢策其马[3]，曰：“马不进也[4]。”林不狃之伍曰[5]：“走乎[6]？”不狃曰：“谁不如[7]？”曰：“然则止乎[8]？”不狃曰：“恶贤[9]？”徐步而死[10]。师获甲首八十，齐人不能师[11]。宵[12]，谍曰：“齐人遁。”冉有请从之三，季孙弗许[13]。

注释

[1]奔：逃跑。　[2]陈瓘（guàn）、陈庄：都是齐国大夫。涉泗：渡过泗水。　[3]“孟之”句：是说孟之侧落在后面断后，抽出箭鞭打马匹。孟之侧，孟孙家族的人。　[4]马不进也：马不走啊！意思是不是我想断后的。　[5]林不狃：鲁国人。伍：

齐鲁清之战

战友。　[6]走：逃跑。　[7]谁不如：谁不该逃跑？　[8]然则：那么。止：指停下来抵抗敌军。　[9]恶贤：留下来抵抗就算有能耐？孟之侧和林不狃的表现都说明孟孙家的士兵不愿打仗。　[10]“徐步”句：是说林不狃慢慢走着被杀掉了。　[11]“师获”句：是说冉求率领的左军斩获齐军首级八十个，齐军不能重整旗鼓。　[12]宵：晚上。　[13]“冉有”句：是说冉求多次请求追击齐军，季孙都不同意。可见季康子想保存实力。

孟孺子语人曰[1]：“我不如颜羽，而贤于邴泄[2]。子羽锐敏[3]，我不欲战而能默[4]，泄曰：‘驱之[5]。’”

注释

[1]语人：对别人说。　[2]贤：好。　[3]子羽：即颜羽。锐敏：锐利而敏捷。　[4]默：保持沉默。　[5]驱之：逃跑。

公为与其嬖僮汪锜乘[1]，皆死，皆殡[2]。孔子曰：“能执干戈以卫社稷，可无殇也[3]。”冉有用矛于齐师，故能入其军[4]。孔子曰：“义也[5]。”

注释

[1]公为：即公叔务人。嬖僮（bì tóng）：宠幸的小仆人。乘：同车。　[2]殡：出殡。　[3]“能执”句：是说能拿起武器保卫国家，就不能以夭折对待了。当时夭折者的葬礼比较简略，所以孔子特地提醒要跟成人一样隆重。　[4]“冉有”句：是说冉求使用长矛进攻齐军，所以能冲进他们的阵列。　[5]义：合适。指冉求合理选用武器。

文史链接

吴国北上称霸，齐国是比较有分量的对手。鲁国夹在它们中间，难免像当年的郑国，两头受压。一年前鲁国帮吴国侵略了齐国，今年齐国来报仇了。

这场战役以鲁国的获胜告终，居功至伟的是孔子的学生冉求，当时他正做着执政季孙家的“大管家”。他先是用激将法，迫使另外两个大家族孟孙氏和叔孙氏同意一起出兵；然后根据对手齐军的特点，在战场上使用长矛作为主战武器，率领左军长驱直入敌阵，大破齐军。

此时鲁国的军队早已被季孙、孟孙、叔孙这“三桓”瓜分，鲁君完全被架空，因此参战军队都是权臣们的私人武装。“三桓”战前不愿出兵，战时临阵退缩，只打家族利益的小算盘，罔顾国家利益。这样的胜利只是增加了他们专政的筹码，对于振兴国家没有帮助。

思考讨论

1. 结合《论语》中有关冉求的内容，为他写篇小传记。

2. “三桓”自鲁僖公时起逐步掌握政权，甚至日后凌驾于鲁公室之上。请参阅《史记·鲁周公世家》，了解他们篡权的经过。

楚国白公之乱

（哀公十六年）

楚太子建之遇谗也[1]，自城父奔宋[2]。又辟华氏之乱于郑[3]，郑人甚善之[4]。又适晋，与晋人谋袭郑，乃求复焉[5]。郑人复之如初[6]。晋人使谍于子木，请行而期焉[7]。子木暴虐于其私邑，邑人诉之[8]。郑人省之，得晋谍焉，遂杀子木[9]。

注释

[1]太子建：楚平王的太子。遇谗：受到诬陷。　[2]城父：楚国地名，在今河南宝丰东。　[3]辟：同“避”，躲避。太子建逃亡宋国和华氏之乱都发生在四十四年前，即公元前522年。　[4]善之：待他很好。　[5]“又适”句：是说太子建后来跑到晋国，跟晋人策划袭击郑国，因此请求回郑国居住。　[6]“郑人”句：是说郑国人恢复他当初的待遇。　[7]“晋人”句：是说晋人派间谍见太子建，间谍打算回国，约定了出兵日期。子木，即太子建。　[8]“子木”句：是说太子建在他的封地非常残暴，当地人向国君告他的状。　[9]“郑人”句：是说郑人审查太子建，抓到了晋国间谍，于是杀了太子建。以上是追述从前太子建被杀的始末。

其子曰胜，在吴，子西欲召之[1]。叶公曰[2]：“吾闻胜也诈而乱，无乃害乎[3]？”子西曰：“吾闻胜也信而勇，不为不利[4]。舍诸边竟，使卫藩焉[5]。”叶公曰：“周仁之谓信，率义之谓勇[6]。吾闻胜也好复言，而求死士，殆有私乎[7]！复言，非信也；期死，非勇也——子必悔之[8]。”弗从，召之，使处吴竟[9]，为白公[10]。请伐郑[11]，子西曰：“楚未节也。不然，吾不忘也[12]。”他日，又请，许之，未起师[13]。晋人伐郑，楚救之，与之盟[14]。胜怒，曰：“郑人在此，仇不远矣[15]。”

注释

[1]“其子”句：是说太子建的儿子叫胜，正待在吴国，子西想召他回楚国。子西，楚国令尹，楚平王的弟弟。 [2]叶公：楚国叶地的长官。 [3]“吾闻”句：我听说胜这个人狡诈而不规矩，怕是个祸害吧？ [4]“吾闻”句：意思是我听说胜他讲信用而且勇敢，不做没利益的事情。 [5]“舍诸”句：是说把他安置在边境，让他守卫边疆。 [6]“周仁”句：是说贴合仁义叫做信，奉行道义叫做勇。 [7]“吾闻”句：是说我听说胜喜欢说到做到，还召集亡命之徒，大概有什么私念吧。 [8]“复言”句：意思是说到做到不是信，干什么都跟人拼命不是勇——您一定会后悔的。[9]处：居住。吴竟：楚吴边境。 [10]为白公：做白地的长官。[11]请伐郑：白公请求攻打郑国。这是要替父报仇。 [12]“楚未”句：意思是说，楚国还没走上正轨，否则我不会忘记替你复仇的。[13]“他日”句：是说过了些日子，白公又要求打郑国，子西同意了，

但是没有出兵。　[14]“晋人”句:是说晋国攻打郑国,楚国去救,跟郑国结盟。　[15]仇不远矣：白公把跟郑人结盟的子西也看作郑人，所以说仇人就在身边。

胜自厉剑[1]，子期之子平见之[2]，曰：“王孙何自厉也[3]？”曰：“胜以直闻，不告女，庸为直乎？将以杀尔父[4]。”平以告子西。子西曰：“胜如卵，余翼而长之[5]。楚国，第我死，令尹、司马，非胜而谁[6]？”胜闻之，曰：“令尹之狂也！得死，乃非我[7]。”子西不悛[8]。胜谓石乞曰[9]：“王与二卿士，皆五百人当之，则可矣[10]。”乞曰：“不可得也[11]。”曰:“市南有熊宜僚者,若得之,可以当五百人矣[12]。”乃从白公而见之[13]。与之言，说。告之故，辞。承之以剑，不动[14]。胜曰：“不为利谄，不为威惕，不泄人言以求媚者，去之[15]。”

注释

[1]厉剑：磨剑。　[2]子期：楚国司马，楚平王的儿子。[3]王孙:白公是楚平王的孙子,所以这样称呼他。自厉:自己磨剑。[4]“胜以”句：我以直率著称，要是不告诉你，怎么算直率呢？我是要杀你父亲。　[5]“胜如”句：是说胜像鸟蛋一样，是在我的羽翼下成长的。　[6]“楚国”句：楚国等我死了之后，令

尹、司马的位子，不是胜的还是谁的？ [7]“令尹”句：是说令尹真是狂妄！要是他得好死，我就不是人。 [8]不悛(quān)：不觉察，不警惕。 [9]石乞：白公的手下。 [10]“王与”句：是说楚王和子西、子期两个人，有五百人对付他们就可以成事了。[11]不可得也：意思是找不到这五百个人。 [12]“市南”句：仍是石乞的话，意思是城南有个叫熊宜僚的，如果能拉到他，可以顶五百人使。 [13]“乃从”句：石乞跟白公一起去见熊宜僚。[14]“与之”句：是说白公跟熊宜僚交谈，很欣赏他；告诉他要去对付楚王，他拒绝；用剑指着他，他一动不动。 [15]“不为”句：是说不因为利益而屈服，不因为威胁而害怕，不泄露别人的话以求宠爱，这样的人放过他吧。

吴人伐慎[1]，白公败之。请以战备献，许之，遂作乱[2]。秋七月，杀子西、子期于朝，而劫惠王[3]。子西以袂掩面而死[4]。子期曰：“昔者吾以力事君，不可以弗终[5]。”抉豫章以杀人而后死[6]。石乞曰：“焚库、弑王。不然，不济[7]。”白公曰：“不可。弑王，不祥；焚库，无聚，将何以守矣[8]？”乞曰：“有楚国而治其民，以敬事神，可以得祥，且有聚矣，何患[9]？”弗从。

注释

[1]慎：楚国地名，在今安徽颍上北。 [2]“请以”句：是

说白公请求把缴获的装备献给朝廷，楚王同意了，于是白公趁机造反。　[3]劫：劫持。惠王：楚惠王，楚平王的孙子。　[4]“子西”句：子西用袖子遮住脸受死。表示后悔当初看错了白公。[5]“昔者”句：意思是当年我凭勇力服侍国君，不能有始无终。[6]“抉豫”句：是说子期拔起一棵樟树杀死乱兵后被杀。　[7]“焚库”句：意思是烧掉仓库、杀死惠王，不然不能成功。　[8]“弑王”句：杀掉国王不吉利，烧掉仓库就没了储备，靠什么坚守？[9]“有楚”句：如果得到楚国之后治理好百姓，虔诚事奉神灵，自然可以得到幸福，而且也会得到储备，担心什么？

叶公在蔡[1]，方城之外皆曰[2]：“可以入矣[3]。”子高曰[4]：“吾闻之，以险徼幸者，其求无餍，偏重必离[5]。”闻其杀齐管修也，而后入[6]。

注释

[1]蔡：楚国地名。在今河南省上蔡、新蔡等县一带。[2]方城之外：指桐柏山、大别山以北的楚国地区。　[3]入：指进入首都平定叛乱。　[4]子高：叶公的字。　[5]“吾闻”句：是说我听说，冒险追求成功的人，往往贪得无厌，办事不公道，下属一定会离心离德。　[6]“闻其”句：听说白公杀了来自齐国的管修，然后才进入首都。管修，管仲的后人，迁居楚国。

白公欲以子闾为王[1]，子闾不可，遂劫以兵[2]。子闾曰：“王孙若安靖楚国，匡正王室，而后庇焉，

启之愿也，敢不听从[3]？若将专利以倾王室，不顾楚国，有死不能[4]。”遂杀之，而以王如高府[5]。石乞尹门[6]。圉公阳穴宫，负王以如昭夫人之宫[7]。

注释

[1]子闾：楚平王的儿子，名启。　[2]劫以兵：派兵劫持子闾。　[3]“王孙”句：王孙您如果安定楚国，扶持王室，然后保护它，这是我的愿望，怎敢不听从您的命令？　[4]“若将”句：是说如果牟取私利颠覆王室，不顾楚国安危，我死也不能接受。　[5]“遂杀”句:是说于是杀了子闾,挟持楚惠王到了高府。高府,楚国都的一个仓库。　[6]尹门:把守大门。　[7]“圉公”句:是说圉公阳在宫墙挖了个洞，背着惠王逃到昭王夫人的宫殿里。圉公阳，楚国大夫。昭夫人，楚昭王的夫人，惠王的母亲。

叶公亦至，及北门[1]，或遇之，曰:“君胡不胄？国人望君如望慈父母焉，盗贼之矢若伤君，是绝民望也，若之何不胄[2]？”乃胄而进[3]。又遇一人曰:“君胡胄？国人望君如望岁焉，日日以几，若见君面，是得艾也[4]。民知不死，其亦夫有奋心，犹将旌君以徇于国；而又掩面以绝民望，不亦甚乎[5]！”乃免胄而进[6]。

注释

[1]北门：指楚都的北门。　[2]"君胡"句：您干吗不戴上头盔？大家盼望您就像盼望慈爱的父母一样，叛军的箭要是伤了您，那就断了百姓的希望了，干吗不戴头盔啊？　[3]乃胄而进：于是戴上头盔前进。　[4]"君胡"句：您干吗戴着头盔啊？大伙盼望您跟盼望丰收似的，天天企盼，如果见到您的面目，就安心啦。　[5]"民知"句：民众知道您没死，他们就人人激发斗志，好比把您当成旗帜号召全国啊；可是现在遮上脸让百姓绝望，不是太过分了吗？　[6]免胄：脱掉头盔。

遇箴尹固帅其属，将与白公[1]。子高曰："微二子者，楚不国矣[2]。弃德从贼，其可保乎[3]？"乃从叶公。使与国人以攻白公，白公奔山而缢[4]。其徒微之[5]。生拘石乞而问白公之死焉[6]。对曰："余知其死所[7]，而长者使余勿言[8]。"曰："不言将烹[9]。"乞曰："此事克则为卿，不克则烹，固其所也，何害[10]？"乃烹石乞。王孙燕奔頯黄氏[11]。

注释

[1]"遇箴"句：是说叶公碰见箴尹固率领他的私人武装正要去帮助白公。箴尹固，楚国大臣。　[2]"微二"句：是说要是没有子西和子期，楚国早就亡了。　[3]"弃德"句：你现在忘恩负义投靠反贼，难道能保全自己吗？　[4]"使与"句：是说叶公派箴尹固与城里人一起攻打白公，白公逃到山上吊死了。

[5]“其徒”句:是说白公的党羽藏起他的尸首。 [6]“生拘”句:是说活捉了石乞问他白公尸首的下落。 [7]死所:埋葬的地点。[8]长者:指白公。 [9]“不言”句:是威胁石乞,不说就煮了他。[10]“此事”句：造反这事，成功了就做卿大夫，不成功就下油锅,本来就这样,有什么大不了的! [11]王孙燕:白公的弟弟。頯（kuí）黄氏：吴国地名，在今安徽宣州境内。

沈诸梁兼二事，国宁，乃使宁为令尹，使宽为司马，而老于叶[1]。

注释

[1]“沈诸”句:是说叶公兼任令尹和司马,等到国家安定之后,让子西的儿子宁做了令尹，子期的儿子宽做了司马，自己回到叶地终老。沈诸梁，叶公的名字。

文史链接

白公之乱是典型的由私怨引发的国难。白公的父亲太子建逃难到郑国期间得到郑人友好款待，后来却恩将仇报，做了晋国的间谍企图偷袭郑国，结果被就地正法。白公屡次怂恿令尹子西伐郑报仇，都没有下文。白公由此迁怒子西，终于借献战利品的机会发动叛变，遍杀仇人，劫持了楚王。

如果稍抱一点同情之心来看待，白公父子都属于被命运折磨得有点变态的人物，权力欲和仇恨遮蔽了他们辨别敌我的理智。

这一节,《左传》作者再次显示了他小中见大的高妙叙事技巧。白公的暴躁乖戾，从他的磨刀霍霍和挑衅言词暴露无遗；而楚国的民心向背，则在平定叛乱的功臣叶公是否应该戴头盔这一细节上表现出来。

思考讨论

1. 你如何看待白公胜这个人？

2. 春秋时期养士风气初起，各国权臣在朝中都具有举足轻重的影响，养士的目的也各不相同。你能分辨本书中阖庐、齐庄公、“三桓”和白公胜养士的不同吗？

附　录

鲁国十二公简表

隐公	公元前722年—前712年	在位11年
桓公	公元前711年—前694年	在位18年
庄公	公元前693年—前662年	在位32年
闵公	公元前661年—前660年	在位2年
僖公	公元前659年—前627年	在位33年
文公	公元前626年—前609年	在位18年
宣公	公元前608年—前591年	在位18年
成公	公元前590年—前573年	在位18年
襄公	公元前572年—前542年	在位31年
昭公	公元前541年—前510年	在位32年
定公	公元前509年—前495年	在位15年
哀公	公元前494年—前468年	在位27年

后 记

有一次，偶然看到某市小学一年级的语文课本中有贺知章的《回乡偶书》一诗："少小离家老大回，乡音无改鬓毛衰。儿童相见不相识，笑问客从何处来。""衰"字加了注音 shuāi。

衰，在此处应该读 cuī，在古义中有"等级次第的差别或依次递减"的意思，如《左传·桓公二年》："故天子建国，诸侯立家，卿置侧室，大夫有贰宗，士有隶子弟，庶人工商各有分亲，皆有等衰。"引申为减少、稀疏。结合贺知章的《回乡偶书》，这里"衰"的意思当指鬓毛减少、疏落，而不是衰老的意思。再从整首绝句的韵脚来看，"衰"字与首句"少小离家老大回"中的"回"和末句"笑问客从何处来"中的"来"，这三字在"诗韵"即"平水韵"中同属灰韵。

这些属于古代文化常识性的内容，过去龆龀蒙童均能脱口成韵，如今在专业教育出版社的小学语文教材中出现这样的差错，管窥一斑，不由得让人担忧。

读错一个字音尚是小事，倘若几代人不读"四书"、"五经"、唐诗、宋词……那中华民族真的就没有了灵魂。民族没有了精神内核，没有了灵魂，如何奢谈中华民族的伟大复兴？

我们承认现代教育将中国教育的视野引向更为广阔的国际空间，带来了许多新理念，给中国教育带来了活力。但是，如何在引入国际现代教育理念和现代教育方式的同时，坚守中国具有传承价值的优秀传统文化？如何在全面实施素质教育的同时，弘扬

中国文化特色以保持中国文化特有的气质？这是当前中国教育值得深入研究的问题之一。

梁启超先生曾言："吾不患外国学术思想之不输入，吾惟患本国学术之不发明。"然而，本国学术思想之发明非一代人可以成就，须"由其民族自身传递数世、数十世血液浇灌、精肉所培壅，而始得开此民族文化之花，结此民族文化之果"。要国民热爱中国的传统文化，必须本国先民的成就有其可爱之处，而且要发扬国民精神，也当从固有的精神中有所抉发。

秋霞圃书院自2010年开始筹划编撰一套适合大众普及尤其是中小学生使用的"国学基本教材"，自小学至高中每学期能有一册在手，通过以长期渐进、系统地熏陶、滋养，使中小学生在潜移默化中亲近中国的历史与文化，并使中华传统文化在当下的社会生活中"活化"。当然这种"活化"不是简单的复古，而是在当代的语境中重新梳理中华文明的脉络，从中汲取适应时代需要、社会需要，乃至适应工业文明与后工业文明需要的养料，提炼出中华传统文化的核心价值，以此来滋养一代又一代学子，为中华民族的伟大复兴奠定基础。当然，这些愿景断非一己之力能及，而是需要几代人的不懈努力，我们所起的作用仅仅是抛砖而已。国内儒学研究领军学者之一、武汉大学国学院院长郭齐勇教授听闻我们有此愿望后鼎力支持，欣然担任本套教材的总顾问，协调资源，并为之作序；武汉大学国学院院长助理孙劲松先生、向珂博士在筹组编者队伍时提供了真诚无私的帮助。此后又蒙秋霞圃书院院长、历史学家沈渭滨，语言学家李佐丰，古典文献学者骆玉明、汪涌豪、傅杰、徐志啸等教授在谋篇布局上的悉心指点，形成了本套"国学基本教材"的框架。确定框架之后，我们邀请了武汉大学、复旦大学、华东师范大学、南开大学、中国传媒大学、中山大学、内蒙古师范大学、陕西师范大学、南通大学等高校人文学科中青年学人和江浙沪地区几位优秀的中小学语文教师参与编写。

全书成稿后，沈渭滨、王家范、骆玉明、傅杰、汪涌豪、杨国强、张觉、张新科、徐志啸、鲍鹏山等教授审读了书稿，并提出了宝贵的修改意见；86 岁高龄的书法名家章汝奭先生为“国学基本教材”题写书名；《儒藏》总编撰、德高望重的北京大学教授汤一介先生为我们赠书“圣贤之道”；丰子恺先生后人为我们提供了精美而颇有意蕴的 24 幅漫画用作丛书封面；朱青生教授为我们提供了汉画文献用于插图；画家李永源先生逾古稀之年，为这套丛书手绘了上百幅插画；浙江古籍出版社社长杨林海先生是我故交乡党，听闻我有意筹划一套面向中小学生的“国学基本教材”丛书之后，青睐有加，多方努力协调资源，亲自落实该套教材出版的相关事宜……所有殊胜因缘，都在襄助秋霞圃书院矢志传播中华传统文化的大愿，唯有在此深揖致谢。

由于主持者与编者的学识有限，尽管悉心编校，但不足之处难免，敬请方家、读者指正，以便来年修订时，相应校正。

意见和建议可致电：021-66366439，13816808263。通信地址：上海市嘉定区南大街嘉定孔庙秋霞圃书院，邮政编码：201800，电子邮件 :qiuxiapu@163.com。

李耐儒

癸巳春于嘉定孔庙